D1301608

Le grand livre du BARBECUE

97-B, Montée des Bouleaux,
Saint-Constant, PQ, Canada J5A 1A9,
Tél. : (450) 638-3338, Télécopieur : (450) 638-4338
Internet : http://www.broquet.qc.ca
Courriel : info@broquet.qc.ca

Catalogage avant publication de Bibliothèque et Archives Canada

Pocius, Marilyn

Le grand livre du barbecue

Traduction de: The grilling bible.

Comprend un index.

ISBN 978-2-89000-793-2

1. Grillade. 2. Cuisine au barbecue. I. Titre.

TX840.B3P6214 2007 641.5'784 C2006-941889-6

Pour l'aide à la réalisation de son programme éditorial, l'éditeur remercie :

Le Gouvernement du Canada par l'entremise du Programme d'Aide au développement de l'industrie de l'édition (PAIDÉ) ; La Société de développement des entreprises cullturelles (SODEC) ; L'association pour l'exportation du livre Canadien (AELC).

Le Gouvernement du Québec - Programme de crédit d'impôt pour l'édition de livres - Gestion SODEC.

Titre original : *Grilling bible*
Copyright © 2005 Publications International, Ltd.

Pour le Québec :
Copyright @ Ottawa 2007 Broquet Inc.
Dépôt légal - Bibliothèque nationale du Québec
1er trimestre 2007

Traduction : Anne-Marie Coutemanche
Révision : Amélie Leroux, Andrée Laprise
Infographie : Brigit Levesque

ISBN : 978-2-89000-793-2

Tout droits de traduction totale ou partielle réservés pour tous les pays. Imprimé en Chine. La reproduction d'un extrait quelconque de ce livre, par quelque procédé que ce soit, tant électronique que mécanique, en particulier par photocopie, est interdite sans l'autorisation écrite de l'éditeur.

Toutes les recettes et photographies qui contiennent des marques de commerce déposées sont protégées par les droits d'auteur de ces entreprises et/ou associations, à moins de mention contraire. Toutes les photographies à l'exception de celles des pages 61, 83, 91, 99, 155, 157, 191, 213, 215, 225, 249, 255, 257 et 291 sont protégées par les droits d'auteur de © Publications International, Ltd.

Photographie principale du la couverture, Getty images. Les photographies de coupes de viande des pages 30 à 37 sont la courtoisie de la National Cattlemen's Beef Association, du Cattlemen's Beef Board, du National Pork Board et de l'American Lamb Council. Les photographies de barbecues des pages 3, 8, 9 et 50 sont une courtoisie de Char-Broil®. Char-Broil® est une marque de commerce déposée de W. C. Bradley Co.

Cuisson au micro-ondes : Les fours à micro-ondes ont tous une puissance différente. Utilisez les temps de cuisson suggérés et vérifiez la cuisson avant de cuire davantage.

Temps de préparation et de cuisson : Les temps de préparation sont inspirés du temps approximatif nécessaire pour réaliser la recette avant la cuisson, la cuisson au four, la réfrigération ou le service. Ces temps incluent les étapes de préparation comme la mesure, la découpe et le mélange des ingrédients. Le fait que certaines préparations et cuissons peuvent être réalisées simultanément est pris en compte. La préparation d'ingrédients optionnels et les suggestions de présentation ne sont pas incluses dans les temps de préparation et de cuisson.

Contenu

L'ABC de la cuisson au gril

Qu'est-ce qui séduit autant l'Amérique dans la cuisson au gril?

Est-ce la possibilité de cuisiner dans de grands espaces ouverts et, qui plus est, à l'extérieur? Ou est-ce le plaisir primitif de jouer avec le feu? Ce n'est peut-être que le bon goût des aliments lorsqu'ils sont enveloppés de fumée et saisis à la perfection…

Tenir une pièce de viande au-dessus du feu à l'aide d'un bâton est certainement la première méthode de cuisson élaborée par l'humain. Nous avons évidemment fait bien du chemin depuis avec nos barbecues très sophistiqués, nos ustensiles faits sur mesure, nos concours nationaux de barbecue et nos opinions bien arrêtées sur le sujet. Pourtant, l'abc de la cuisson sur le gril n'a pas vraiment changé. La réaction chimique des aliments sur le feu est simple et délicieuse. Cuire au gril est un des moyens les plus faciles et rapides de faire ressortir les saveurs naturelles d'un aliment. De la guimauve grillée en passant par un bifteck d'aloyau légèrement carbonisé, tout ce qui est cuit sur le gril a tout simplement meilleur goût.

Le grand livre du barbecue est aussi bien une ressource indispensable pour ceux et celles qui ont décidé d'apprendre à allumer un feu destiné à la cuisson que pour les experts amants des flammes.

Ceux qui débutent y trouveront des conseils pour choisir le bon barbecue et des définitions à des termes tels que «chaleur indirecte» et «pâte». Les plus savants en la matière y découvriront des conseils sur la façon de faire griller un poisson entier ou une pizza à la perfection.

Plus de 170 recettes vous inviteront à allumer le barbecue pour vos fêtes, vos soupers rapides de semaine et, si vous faites partie des plus passionnés, même lorsque vous devez enlever la neige qui recouvre votre barbecue. Vous verrez, vous ajouterez bientôt des marques de gril sur tout ce que vous ferez cuire, du thon jusqu'aux tomates! C'est maintenant le temps de sortir et d'allumer le barbecue! La cuisson au gril rend tous les autres types de cuisson à tout le moins insipide.

Choisir un barbecue

Avant de courir à la quincaillerie ou au centre de rénovation du coin et de vous retrouver devant trop d'options — BTU, pierre volcanique, brûleur latéral, fumoirs, etc. —, prenez le temps de déterminer quel type de cuisson au gril vous intéresse. La première question à laquelle vous devez répondre est donc : « Charbon de bois ou gaz ? »

Les barbecues au charbon de bois atteignent normalement une chaleur plus élevée que les barbecues au gaz. Ils sont plus faciles à utiliser si vous souhaitez fumer des aliments, et les puristes vous diront qu'il n'y a que le charbon de bois pour obtenir la saveur authentique de la cuisson au gril. (Il existe également des études qui affirment que la différence de saveur entre les aliments cuits au charbon de bois et au gaz est impossible à détecter.) Un barbecue au charbon de bois vous permet de satisfaire plus facilement ce besoin primitif de jouer avec le feu.

Les barbecues au gaz s'allument instantanément en appuyant sur un bouton et offrent une chaleur stable, facile à ajuster. Ils rendent la cuisson au gril plus simple, peu importe l'aliment et le moment. Il y a peu de chances, par exemple, que vous preniez le temps d'allumer un barbecue au charbon de bois pour faire cuire des hot-dogs pour deux personnes un lundi soir. Alors qu'avec un barbecue au gaz, c'est possible en

Votre personnalité convient-elle mieux à la cuisson au charbon de bois ou au gaz ?

Quel énoncé vous ressemble le plus ?

A. La moitié du plaisir, c'est de se rendre quelque part. J'aime prendre mon temps et bien faire les choses.

B. Je me considère comme une personne efficace. S'il est possible de faire une chose rapidement et facilement, c'est encore mieux.

A. J'aime les méthodes de cuisson traditionnelles. J'aimerais expérimenter le fumage, la cuisson lente et les différentes essences de bois qui peuvent donner une saveur différente aux aliments grillés.

B. Je choisis souvent ce que je vais cuisiner pour le souper seulement en revenant du travail.

A. J'apprécie le retour à la nature. Une partie du plaisir de la cuisson au gril est d'être dehors.

B. Je souhaite pouvoir cuire au gril facilement tout ce qui me plaît et en tout temps, même en plein milieu de l'hiver.

A. La cuisson au gril, c'est bien plus qu'une façon de cuisiner. C'est une façon de passer des week-ends d'été décontractés et d'inviter des amis pour manger et s'amuser.

B. J'aime les fêtes spontanées. « Apportez une salade, on vous attend. Je vais faire cuire quelque chose sur le gril. »

Si vous avez choisi plusieurs réponses « A », votre personnalité en ce qui a trait au gril penche vers le charbon de bois ; alors qu'une majorité de « B » vous confère une personnalité « barbecue au gaz ».

un clin d'œil. Certains refusent de choisir et possèdent les deux types de barbecue.

Ce qu'il faut savoir, c'est que les barbecues au charbon de bois et ceux au gaz font tous deux un excellent travail. Voici quelques conseils pour l'achat d'un barbecue que vous aurez le plaisir d'utiliser pendant de nombreuses années.

Ce qu'il faut rechercher dans un barbecue

Fabrication générale: Un barbecue robuste et durable sera lourd et fabriqué à partir d'acier de qualité supérieure plutôt que d'aluminium. Soulevez le couvercle. Vous en découvrirez beaucoup de cette façon. Est-il lourd? Se ferme-t-il bien? La finition devrait être un émail de porcelaine cuite, et non pas seulement une peinture vaporisée. Les pattes devraient être soudées et les roues robustes.

Marque de commerce: Achetez une marque connue dont la réputation de qualité n'est plus à faire. Vérifiez la durée de la garantie (normalement, une garantie limitée de cinq ans pour les appareils à charbon de bois et de dix ans pour ceux au gaz); vous déterminerez ainsi si le fabricant a confiance en son produit. Si vous prévoyez utiliser votre barbecue pendant plusieurs saisons, il est important de pouvoir remplacer les grilles et autres pièces. Vous vous faciliterez la vie en choisissant un appareil dont les accessoires sont disponibles à votre quincaillerie ou à votre centre de rénovation local.

Grilles de cuisson: Recherchez les grilles fabriquées de fonte nickelée ou revêtues de porcelaine pour une rétention maximale de la chaleur, un nettoyage facile et une bonne résistance à la rouille. Les grilles en acier inoxydable non revêtues résistent à la rouille mais les aliments y collent plus facilement. Les grilles en fonte non revêtue gardent bien la chaleur mais exigent des assaisonnements fréquents.

Capacité: Le plus gros n'est pas nécessairement ce qu'il y a de mieux. Si vous ne cuisinez que pour deux, inutile d'alimenter une immense grille chaque fois que vous souhaitez faire cuire un hamburger ou deux. Prenez aussi en compte l'espace disponible lorsque le barbecue est refermé. S'il est important pour vous de pouvoir faire griller une dinde de 16 livres, elle doit pouvoir tenir sur la grille avec le couvercle fermé. Mesurez l'endroit où vous prévoyez placer le barbecue dans votre cour. Il devrait y avoir assez d'espace pour qu'il soit éloigné de votre terrasse, de la maison et même des arbustes. Évaluer les dimensions lorsque vous êtes en magasin peut s'avérer décevant. Pensez-y.

Thermomètre: Il est pratique d'avoir un thermomètre qui enregistre la température à l'intérieur du barbecue, mais que vous pouvez lire de l'extérieur. Ouvrir un barbecue pour vérifier la température abaisse celle-ci de façon importante et ajoute au temps de cuisson.

Coût: La gamme des modèles de barbecues commence par les modèles portatifs peu coûteux et se termine par ceux de grande taille en acier que l'on peut brancher à une alimentation permanente en gaz. Évidemment, les prix varient en fonction des dimensions et des caractéristiques. Les barbecues au gaz sont plus coûteux que ceux au charbon de bois, mais vous dépenserez moins en carburant avec un barbecue au gaz. Comme c'est le cas pour la plupart des produits, choisir uniquement en fonction du prix n'est pas recommandé. Un barbecue bon marché sera souvent frustrant à utiliser et peut rouiller en une seule saison.

Barbecues au charbon de bois : caractéristiques à rechercher

Fentes d'aération : Pour contrôler la température, vous devez pouvoir ouvrir et fermer des fentes d'aération qui modifient l'apport en oxygène. On devrait retrouver des fentes sous le logement du charbon de bois et dans le couvercle.

Récepteur de cendres : La plupart des barbecues au charbon de bois sont dotés d'un dispositif qui reçoit les cendres dans un bac. Ce dispositif fonctionne habituellement en faisant glisser le levier de la fente dans les deux sens, à plusieurs reprises, afin de faire passer les cendres par les fentes d'aération du dessous. C'est encore plus pratique si le bac d'élimination peut être retiré afin de jeter les cendres refroidies.

Paniers latéraux : Cette caractéristique facilite la cuisson à la chaleur indirecte puisqu'elle retient les charbons de bois de chaque côté de la grille, facilitant le placement d'une lèchefrite ou d'un bac récepteur au centre. Si le barbecue n'est pas équipé de paniers latéraux, il est souvent possible de les acheter par la suite.

Grille à charnière : Il s'agit d'une caractéristique bien pratique qui vous permet de soulever la grille et d'ajouter davantage de briquettes ou de bois au feu, sans devoir retirer les aliments. C'est tout particulièrement utile si vous prévoyez une cuisson longue à feu doux.

Accessoires en option : Plateaux latéraux, porte-ustensiles et rôtissoire sont normalement disponibles. Certains fabricants produisent maintenant des barbecues avec cheminées d'allumage intégrées.

Barbecues au gaz : caractéristiques à rechercher

Brûleurs : Il en faut deux au minimum ; trois ou quatre, c'est encore mieux. Cela vous permet d'éteindre un ou plusieurs brûleurs et de cuire à chaleur indirecte ou basse. (Voir la page 16 pour des explications sur la chaleur indirecte.)

Système de cuisson : La saveur fumée caractéristique de la cuisson au gril provient du jus des aliments qui tombent sur les briquettes chaudes et qui sont ensuite vaporisés. Les barbecues au gaz produisent le même effet avec des pierres volcaniques, des briquettes de céramique ou des plaques ou barres métalliques chauffantes.

• Les pierres volcaniques chauffent rapidement mais sont poreuses et le gras s'y accumule. Cela diminue leur efficacité et augmente les chances que les flammes s'emportent. Pour ces raisons, les pierres volcaniques doivent généralement être remplacées chaque année.

• Les briquettes de céramique restent propres plus longtemps puisqu'elles n'absorbent pas le gras et que les résidus sont brûlés de façon plus complète.

• Les plaques ou barres chauffantes métalliques (parfois appelées barres aromatisantes) vaporisent le jus rapidement et n'ont pas besoin d'être remplacées aussi souvent que les pierres volcaniques ou les briquettes.

BTU: BTU est l'abréviation de British thermal unit (unité thermique britannique) et, même s'il s'agit d'une mesure de puissance thermique, cela peut être trompeur. Choisir un barbecue parce que le nombre de BTU est plus élevé peut sembler une bonne idée, mais ce ne l'est probablement pas. Les températures de cuisson et la performance d'un barbecue se basent sur ses dimensions, sa fabrication et la taille de sa grille. Certains systèmes de cuisson sont plus efficaces que d'autres, ils atteignent donc des températures plus élevées avec un nombre de BTU plus faible.

Bac récepteur: Ce dispositif recueille le gras et devrait donc être facile à vider. Certains bacs récepteurs comportent des lèchefrites jetables qui facilitent le nettoyage, mais qui sont évidemment moins écologiques.

Jauge de gaz: Pour éviter de manquer de gaz en pleine cuisson d'un rôti ou d'un pavé de côtes, recherchez un barbecue équipé d'une jauge de gaz.

Accessoires en option: Un fumoir contient des copeaux de mesquite ou d'autres essences de bois. Les brûleurs latéraux permettent de garder la sauce barbecue chaude. Parmi les autres options: les rôtissoires, l'éclairage, les tables latérales et les porte-ustensiles.

Nettoyer et entretenir un barbecue

Votre barbecue neuf sera brillant et rien de moins que parfait, mais il ne le restera pas. C'est très bien comme ça. Nous avons tous des exemples des deux extrêmes de la gamme de la propreté: la grille récurée chaque fois de façon si impeccable qu'elle brille ou, l'autre extrême, la grille qui contient des échantillons bien collés de tous les aliments déjà préparés. Aucun de ces deux extrêmes n'est souhaitable. Une des étapes les plus importantes de l'entretien du barbecue est de lire et de conserver le guide du propriétaire qui vous indiquera tout ce que vous devez faire et ne pas faire pour préserver le bon état de votre investissement.

Chaque fois que vous utilisez votre barbecue

Nettoyez la surface de cuisson

Nettoyez la grille chaque fois que vous faites cuire des aliments pour qu'ils ne collent pas et qu'ils ne prennent pas les saveurs des précédentes cuissons. Inutile d'utiliser des abrasifs ou des produits nettoyants pour le four, quelques minutes d'entretien suffisent.

Avant d'entamer la cuisson, une fois le barbecue préchauffé, frottez la grille avec une brosse métallique rigide. Choisissez-en une avec un long manche ou utilisez un gant de cuisine pour vous protéger. La chaleur ne stérilise pas seulement la grille, elle facilite aussi le décollage des résidus de cuisson.

Une fois la cuisson terminée, laissez la chaleur faire le plus gros du travail. Laissez le feu brûler à température élevée pendant 10 minutes environ jusqu'à ce que les aliments collés soient incinérés. (Un four autonettoyant fonctionne de la même façon en dégageant une chaleur extrême à l'intérieur du four.) Récurez ensuite à fond la grille à l'aide de la même brosse métallique.

Laisser la grille lubrifiée contribuera également à la garder propre. Huilez la grille à l'aide d'huile à friture chaque fois que vous l'utilisez. Utilisez un papier essuie-tout, un linge propre imbibé d'huile à friture ou un vaporisateur d'huile. Pour obtenir de meilleurs résultats (et de belles marques de grilles), huilez la grille lorsqu'elle est chaude. Si vous utilisez un aérosol de cuisson, retirez la grille du feu après avoir enfilé des gants appropriés et tenez-la à une distance sécuritaire avant de vaporiser.

Entretenir la chambre de combustion

Retirez les cendres froides au fond du barbecue. (Une truelle de jardin peut vous aider à les éliminer plus facilement.) Cela vous aidera à préparer un nouveau feu et préviendra la rouille puisque les cendres absorbent l'humidité.

Les propriétaires de barbecues au gaz devraient vider ou changer le bac récepteur lorsque le gras commence à s'y accumuler.

Entretien au besoin

Barbecues au charbon de bois

Les produits nettoyants pour le four peuvent être utilisés sur plusieurs grilles pour éliminer les plus importants dépôts de graisse qui y sont collés. (Consultez le guide du propriétaire pour vous assurer que vous pouvez les utiliser.) Attendez que la grille soit froide et placez-la sur une bonne épaisseur de papier journal avant de vaporiser le produit. Laissez au produit nettoyant le temps nécessaire pour agir et nettoyez-le ensuite complètement en respectant les directives sur l'emballage.

Utilisez une éponge ou un linge non abrasif pour nettoyer le reste de la grille. Veillez à l'assécher pour éviter la rouille. Vous pouvez utiliser un tampon savonneux en laine d'acier fine pour récurer délicatement les zones problématiques. Faites cependant attention de ne pas égratigner les portions émaillées de la grille.

Barbecues au gaz

Nettoyez régulièrement le plateau inférieur qui se trouve sur le bac récepteur avec un grattoir ou une brosse en acier. (Il peut normalement être tiré sous le barbecue.) Une accumulation de gras et de débris représente toujours un risque de feu. Même si vous pensez vous éviter du travail en recouvrant ce bac de papier d'aluminium, cela n'est habituellement pas recommandé puisque les plis dans le papier peuvent emprisonner le gras et provoquer un feu. Il est possible de recouvrir le bac récepteur de papier d'aluminium

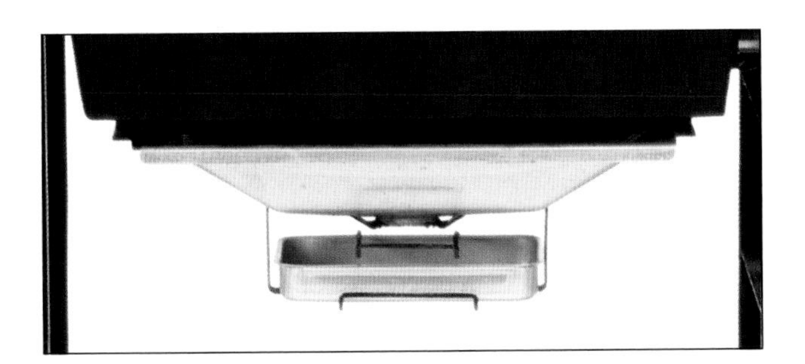

ou d'utiliser des lèchefrites jetables en papier d'aluminium, disponibles pour plusieurs modèles. Cependant, vous créez ainsi des déchets inutiles. Le bac récepteur peut tout simplement être nettoyé après utilisation. Consultez le guide du propriétaire pour connaître les options de votre barbecue.

Utilisez une eau additionnée d'un savon doux pour nettoyer l'extérieur de votre barbecue. Les produits nettoyants forts (en particulier s'ils sont à base de citron) peuvent endommager le fini.

Examinez les pierres volcaniques ou les briquettes. Si elles sont fendillées ou qu'elles ont accumulé du gras et des résidus, remplacez-les.

Si votre barbecue possède des barres en forme de V ou toute autre barre aromatisante, récurez les débris à l'aide d'un grattoir ou d'une brosse métallique.

Vérifiez si vos brûleurs chauffent de façon égale. Une flamme bleue devrait s'échapper de tous les orifices de sortie de gaz autour des brûleurs. Si certains sont obstrués, vous pouvez les nettoyer à l'aide d'un fil métallique souple ou d'un trombone. Si les brûleurs sont fendus ou endommagés, remplacez-les. Les conduits métalliques qui acheminent le gaz dans les brûleurs s'appellent des venturis. Lorsque le barbecue n'est pas utilisé souvent, les venturis deviennent souvent les hôtes des araignées et autres insectes. Consultez le guide du propriétaire pour savoir comment retirer le brûleur et nettoyer ses venturis obstrués à l'aide d'une brosse spéciale.

À éviter lors du nettoyage du barbecue

1. N'UTILISEZ JAMAIS de cire ou de peinture ordinaire sur le couvercle de votre barbecue. Si vous devez retoucher une surface écaillée, achetez une peinture pour barbecue spécialement conçue pour les températures élevées.

2. NE VAPORISEZ JAMAIS d'huile directement sur la grille de cuisson d'un barbecue chaud sans la retirer. Les gouttes d'huile peuvent facilement s'enflammer.

3. NE RÉCUREZ PAS une grille revêtue de porcelaine avec des grattoirs ou d'autres produits nettoyants forts. Vous pourriez écailler le revêtement. Utilisez une brosse à soies en laiton et consultez le guide du propriétaire pour connaître les bonnes méthodes de nettoyage.

4. N'ESSAYEZ JAMAIS de jeter les cendres alors qu'elles sont encore chaudes. N'ESSAYEZ JAMAIS de nettoyer un barbecue chaud ou de le recouvrir d'une housse.

5. N'UTILISEZ JAMAIS de produit nettoyant pour le four sur les surfaces peintes du barbecue. Cela peut enlever la peinture.

Allumer un feu

Allumer un barbecue au charbon de bois

Lorsque la cuisson au gril est née, la hauteur des flammes s'échappant d'un barbecue était une source de fierté. Cela n'est plus le cas aujourd'hui : les adeptes du gril savent maintenant que le fait d'utiliser trop d'essence à briquet chimique peut laisser un résidu qui donne une saveur déplaisante aux aliments. Heureusement, il existe de meilleures essences d'allumage et beaucoup d'autres options. Peu importe comment vous allumez votre feu, assurez-vous que les fentes d'aération du dessous de votre barbecue sont ouvertes pour que votre feu reçoive l'oxygène dont il a besoin.

Si vous utilisez de l'essence à briquet, lisez et suivez les instructions sur l'emballage. (La plupart des marques recommandent de laisser l'essence pénétrer les charbons avant d'allumer.) Empilez les charbons en une pyramide, arrosez-les d'essence et allumez à l'aide d'une longue allumette ou d'un briquet à long manche. N'ESSAYEZ JAMAIS d'ajouter de l'essence à briquet à du charbon qui brûle. Le feu peut suivre le jet d'essence à briquet jusqu'à votre main, et les résultats peuvent être désastreux.

Charbon de bois auto-inflammable : Ces briquettes ont été imprégnées de la bonne quantité d'allume-feu liquide. Elles brûlent donc facilement et uniformément. Elles sont pratiques, mais vos aliments peuvent recueillir une saveur chimique causée par l'allume-feu.

Cheminée d'allumage : Ce cylindre métallique creux vous permet d'allumer rapidement et uniformément le charbon, sans une goutte d'allume-feu liquide. Placez la cheminée d'allumage sur la grille du charbon (pas la grille de cuisson) et insérez des boules de papier journal au fond. Remplissez-la ensuite de charbon de bois (ou de bois dur).

Risques d'incendie

1. N'ALLUMEZ JAMAIS un feu avec de l'essence, du kérosène, du naphte ou du dissolvant à peinture.

2. Gardez les bidons d'essence à briquet à l'écart du feu et n'ajoutez JAMAIS d'essence à briquet aux charbons qui se consument.

3. N'ALLUMEZ JAMAIS une cheminée d'allumage sur une terrasse en bois ou sur toute autre surface inflammable.

4. Ouvrez le couvercle d'un barbecue au gaz AVANT d'allumer la source de gaz.

5. N'UTILISEZ JAMAIS un barbecue à l'intérieur, sous un porche ou dans tout endroit clos.

Allumez les boules de papier journal pour enflammer les briquettes de charbon et attendez qu'elles deviennent rouge orangé. Ce processus peut prendre de 15 à 25 minutes. Tout en portant des gants de cuisine pour protéger vos mains, retirez la cheminée à l'aide de sa poignée, disposez les briquettes de charbon dans le barbecue et cuisinez !

Allumeur électrique : Ce dispositif est un élément chauffant en forme d'anse muni d'une poignée. Insérez-le entre les briquettes de charbon et branchez-le. Il chauffera, deviendra rouge et enflammera le charbon. Attendez de 10 à 15 minutes jusqu'à ce que la plupart des briquettes soient enflammées avant de retirer l'allumeur. Débranchez-le et déposez-le loin des objets inflammables. Ne le rangez pas tant qu'il n'est pas complètement refroidi.

Allumeurs non toxiques, à base de paraffine et à base de sciure de bois : Ces cubes, bâtons ou blocs peuvent aider à enflammer le charbon et peuvent aussi être utilisés avec une cheminée d'allumage pour remplacer le papier journal. Les allumeurs à la paraffine ressemblent à des cubes de glace en cire. Les allumeurs à base de sciure de bois sont semblables aux bûches comprimées utilisées dans les foyers, mais ils sont vendus en bâtons d'environ 12 centimètres de longueur.

Allumer un barbecue au gaz

Ouvrez d'abord le couvercle. Sinon, cela pourrait provoquer une dangereuse accumulation de gaz. Veillez à ce que les commandes des brûleurs soient éteintes, puis activez le gaz à la source. Lisez le guide du propriétaire et suivez les instructions pour l'allumage des brûleurs. Si votre barbecue est équipé de l'allumage automatique, vous devez probablement allumer un brûleur avant d'appuyer sur le bouton d'allumage. Vous devriez être en mesure d'entendre le bruit du gaz qui s'enflamme.

Si l'allumage automatique ne fonctionne pas, vous pouvez habituellement allumer le barbecue grâce à un trou d'allumage situé à l'avant ou sur le côté. Si le barbecue n'est toujours pas allumé après une minute, éteignez le brûleur et attendez quelques minutes avant de réessayer pour laisser le temps au gaz

Pourquoi mon barbecue au gaz ne s'allume-t-il pas ?

1. Vous avez oublié d'ouvrir la valve du réservoir de gaz.

2. Vous avez oublié d'allumer le brûleur ou vous avez allumé le mauvais brûleur.

3. Les conduits sont obstrués ou pliés. De la saleté ou des débris d'insectes obstruent les venturis (les conduits métalliques qui acheminent le gaz vers les brûleurs).

4. Le système d'allumage automatique ne produit pas d'étincelles. Essayez d'allumer le barbecue manuellement conformément aux instructions du guide du propriétaire.

5. Vous manquez de gaz !

de s'évaporer. Les barbecues au gaz doivent normalement être préchauffés pendant 10 à 15 minutes avec les brûleurs à puissance élevée et le couvercle fermé, avant de pouvoir commencer la cuisson.

Pour alimenter vos pensées

Avant d'allumer votre feu, vous devez bien sûr choisir le carburant. Autrefois, c'était aussi simple que de prendre un sac ou l'autre de charbon de bois. C'est encore très simple aujourd'hui, mais vous avez davantage de choix.

Briquettes de charbon de bois: Les premières briquettes ont été produites dans les années 1920. Il s'agissait alors d'un sous-produit des usines automobiles de Henry Ford. Des déchets de bois étaient mélangés avec des liants afin de créer un produit uniforme et pratique. Le contenu des briquettes varie selon la marque de commerce, même si, contrairement à la légende urbaine, la plupart ne contiennent pas de produits à base de pétrole. Vous pouvez aussi acheter des briquettes en bois pur dans plusieurs magasins d'aliments naturels.

Charbon de bois en blocs: Ces pièces irrégulières de charbon de bois sont fabriquées sans liants et sans produits de remplissage. Elles brûlent facilement, deviennent plus chaudes, mais sont moins régulières que les briquettes. Elles sont aussi plus coûteuses.

Morceaux de bois dur: Le chêne, le mesquite, l'hickory et les bois fruitiers constituent des carburants naturels parfumés pour la cuisson au gril. Ils brûlent plus rapidement que le charbon de bois en blocs et sont coûteux. Souvent, des morceaux de ces essences de bois sont trempés et utilisés pour créer une fumée qui aromatise les aliments. N'utilisez jamais de bois mou, comme le pin ou le sapin, puisqu'il produit un résidu potentiellement dangereux (et qui n'est pas particulièrement bon au goût). N'utilisez jamais de planches, de contreplaqué ou tout autre bois ayant été traité chimiquement. La plupart des centres de rénovation et des quincailleries vendent des morceaux de bois dur destinés à la cuisson au gril et au fumage.

Types de bois dur pour le fumage

Hickory: un arôme de fumée barbecue classique et piquant

Mesquite: un arôme de fumée légèrement plus sucré et énergique

Cerisier: un arôme de fumée légèrement sucré et fruité

Aulne: un arôme de fumée délicat pour le poisson et les viandes au goût léger

Apprivoiser les flammes

Quiconque s'est déjà fait servir un poulet calciné à l'extérieur et cru à l'intérieur sait que cuisiner au gril est quand même plus complexe que d'allumer un feu. Il faut contrôler la chaleur et comprendre le processus de cuisson de l'aliment que vous souhaitez faire griller.

Règle générale, les minces pièces de viande, de poisson ou de légumes peuvent être cuites directement au-dessus du feu, à une température élevée, pendant une courte période de temps. Lorsque l'extérieur de l'aliment est strié de marques de cuisson, l'intérieur est généralement cuit à point. Cette méthode ne convient pas aux grosses pièces de viande ou aux coupes plus robustes comme les côtes levées de porc qui ont besoin d'une chaleur prolongée pour s'attendrir. C'est pour cela qu'il vous faut comprendre ce qu'est la cuisson au gril directe et indirecte.

La cuisson au gril directe versus indirecte

Ces deux expressions sont probablement celles qui soulèvent le plus de confusion dans tout le vocabulaire de la cuisson au gril. Simplement dit, la cuisson au gril directe consiste en une cuisson au-dessus de la source de chaleur. La cuisson au gril indirecte est précisément ce qu'il annonce : une cuisson faite à la chaleur, mais pas directement au-dessus du feu. La cuisson au gril directe est idéale pour les hamburgers, les steaks et les kebabs. La cuisson au gril indirecte convient aux éléments qui ont besoin de plus de 30 minutes pour cuire, par exemple un poulet entier, une épaule de porc ou un gigot d'agneau. Ce type de cuisson est toujours réalisé dans un barbecue fermé.

Cuisson au gril directe sur charbon de bois

Afin de réaliser un feu direct pour la cuisson au gril sur charbon de bois, étalez les morceaux de charbon à l'aide d'un long outil (des pinces, une spatule ou même une binette de jardin). L'important est de créer une couche uniforme. Toutefois, vous pourriez tirer avantage d'une section exempte de charbon. Cela vous donnera la possibilité de déplacer des aliments qui cuisent trop rapidement ou qui s'enflamment. Vous pouvez aussi pousser cette notion plus loin en créant un feu direct qui propose trois températures de cuisson différentes. Empilez une double couche de charbon de bois allumé d'un côté du barbecue, une couche simple au milieu et laissez l'autre côté vide. Vous disposerez alors d'une température élevée pour saisir, d'une température moyenne pour le faire griller directement et d'une zone de sécurité.

Cuisson au gril directe sur un barbecue au gaz

Rien de plus facile. N'oubliez pas de préchauffer le barbecue pendant 10 à 15 minutes à température élevée avant de commencer la cuisson. Vous pouvez laisser un brûleur éteint pour créer une zone sans feu qui vous permettra de

déplacer des aliments qui cuisent trop vite ou qui s'enflamment.

Cuisson au gril indirecte sur charbon de bois

Pour faire cuire l'intérieur d'une grosse pièce de viande ou pour attendrir une pièce coriace, vous avez besoin d'une température plus basse pendant une période de temps plus longue que lors d'une cuisson au gril directe. Répartissez le charbon en deux piles de chaque côté de la chambre de combustion en laissant un espace libre au centre. Un bac récepteur (un bac en aluminium, de préférence réutilisable) est placé au centre afin de recueillir le gras. La nourriture est donc placée sur la grille, juste au-dessus du bac récepteur.

Pour éviter que le feu ne s'éteigne, vous devez faire le plein de charbon à intervalles réguliers. Une grille de cuisson à charnière est très pratique dans ce cas puisqu'elle vous permet d'ajouter de 8 à 10 charbons de chaque côté, au besoin — au moins chaque heure avec un feu de briquettes ou à toutes les 25 à 30 minutes si vous brûlez du charbon de bois en blocs.

Si vous ajoutez des briquettes directement sur le feu allumé, laissez le couvercle du barbecue ouvert jusqu'à ce qu'elles commencent à brûler. Vous pouvez également allumer des morceaux de charbon grâce à une cheminée d'allumage. (Veillez à la déposer sur du béton ou sur toute autre surface inflammable.)

Cuisson au gril indirecte sur un barbecue au gaz

Préchauffez tous les brûleurs à température élevée, comme à l'habitude. Éteignez ensuite le brûleur qui se trouve directement au-dessous des aliments. Réglez les autres brûleurs à la température suggérée par la recette. Un bac récepteur n'est pas toujours nécessaire puisque plusieurs barbecues au gaz sont équipés de tels bacs. Par contre, si vous faites cuire une viande grasse comme du canard, vous risquez d'avoir besoin d'un bac récepteur. Certains fabricants recommandent de faire griller certains aliments sur une grille déposée dans un plateau en aluminium placé sur la grille de cuisson. Consultez votre guide du propriétaire afin d'obtenir de meilleurs résultats.

Les durées

Allumer du charbon de bois dans une cheminée :	15 à 25 minutes
Préchauffer un barbecue au gaz :	10 à 15 minutes
Durée d'un feu de charbon de bois :	50 à 60 minutes
Durée d'un feu de charbon de bois en blocs :	25 à 30 minutes
Temps pour faire griller une boulette de 2 po :	10 à 20 minutes
Temps pour faire griller un steak de 2 po :	20 à 24 minutes
Temps pour faire griller une dinde de 15 lb :	4 h 30

REMARQUE : Les durées varient en fonction de la dimension du barbecue, du type de carburant et des conditions météorologiques.

Un moyen facile d'évaluer la chaleur

Placez une main quatre pouces au-dessus de la grille de cuisson. Comptez le nombre de secondes où vous pouvez tolérer la chaleur avant de retirer votre main.

Température élevée	(400 °F et plus)	1 à 2 secondes
Température moyenne à élevée	(375 °F)	2 à 3 secondes
Température moyenne	(350 °F)	4 à 5 secondes
Température basse	(250 °F)	5 à 6 secondes

Tout s'enflamme : que faire ?

La crainte de tous les chefs, c'est que les flammes peuvent s'emporter lorsque le gras tombe sur des charbons ou des brûleurs chauds. Vous pouvez aimer regarder les flammes enrober vos aliments, mais vous n'en améliorerez pas la saveur… (Qui plus est, les aliments carbonisés ne sont pas sains. Selon le département de l'Agriculture des États-Unis, la consommation d'aliments carbonisés augmente l'exposition aux éléments cancérogènes.) Les adeptes de la cuisson au gril ont chacun leur moyen de faire face aux flammes qui s'emportent.

Vaporisateur d'eau ou pistolet à eau : Une vaporisation d'eau calmera généralement les flammes d'un barbecue au charbon de bois, du moins temporairement. Le problème, c'est que le gras n'est pas pour autant éliminé ; les flammes risquent donc de s'emporter de nouveau. Bien sûr, si vous continuez de vaporiser de l'eau, vous finirez par éteindre le feu.

Déplacer l'aliment : Il est préférable de déplacer l'aliment concerné sur une portion de la grille éloignée du feu direct. De cette façon, le gras peut brûler sur la grille sans nuire à l'aliment. Vous pouvez faire cela en laissant une zone libre lorsque vous préparez votre feu ou en déplaçant l'aliment sur une plaque réchaud. Au besoin, vous pouvez même retirer l'aliment de la grille pendant quelques minutes jusqu'à ce que le gras collé sur la grille se consume.

Prévention : Si vous coupez le gras superflu de la viande avant d'entamer sa cuisson au gril et que vous y allez modérément avec l'huile dans les marinades, vous diminuez les risques que les flammes s'emportent. Il est aussi utile de laisser le surplus de marinade s'égoutter avant de déposer les aliments sur la grille. Si les « enflammées » sont fréquentes, vous devriez nettoyer la grille de cuisson à fond.

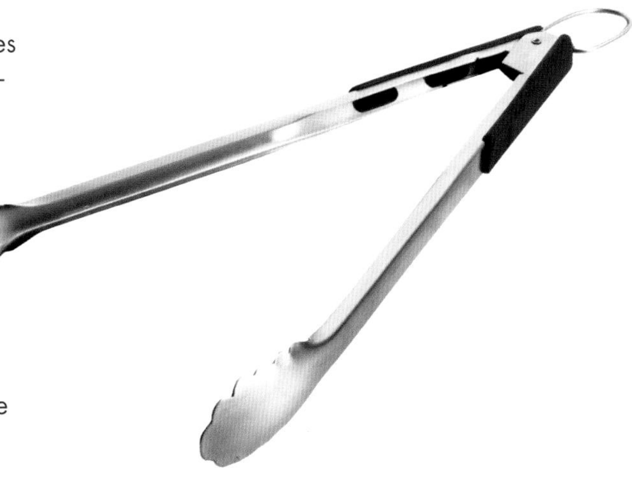

Prudence

C'est toujours relaxant de cuisiner à l'extérieur. Il est donc facile d'oublier qu'il existe des risques réels. Selon la U.S. Consumer Product Safety Commission, chaque année, au moins 30 personnes sont blessées à cause d'un feu ou d'une explosion de barbecue au gaz, et au moins autant de gens meurent en inhalant des émanations de monoxyde de carbone provoquées par l'utilisation de charbon de bois à l'intérieur. Voici quelques précautions d'ordre général qui vous éviteront, nous l'espérons, de faire augmenter ces statistiques.

Avant de cuire au gril

• Lisez et respectez le manuel d'instruction fourni avec votre barbecue.

Si vous avez des questions, communiquez avec le fabricant afin d'obtenir plus de détails.

• Placez votre barbecue à au moins 10 pieds de votre maison ou de tout autre bâtiment. N'UTILISEZ JAMAIS un barbecue dans un garage, un endroit recouvert, un abri d'auto ou un porche. NE PLACEZ JAMAIS un barbecue sur une surface inflammable, par exemple sur une terrasse en bois. Le plus important de tout : N'UTILISEZ JAMAIS de gaz ou de charbon de bois à l'intérieur.

• Un barbecue doit être déposé sur une surface nivelée. Essayez de trouver un endroit qui propose une aération adéquate, mais qui est protégé des vents forts. Assurez-vous que le barbecue est stable et qu'il n'est pas incliné.

• Ayez un extincteur à poudre chimique à portée de la main et, surtout, sachez l'utiliser. Une chaudière de sable peut être pratique. Elle peut être vidée sur un feu de terre en cas de besoin. N'oubliez pas que l'eau ne peut éteindre un feu de friture.

• Habillez-vous en conséquence. Ne cuisez pas avec des vêtements amples qui pourraient prendre feu. Attachez vos cheveux s'ils sont longs. Les shorts et les tongs sont peut-être vos vêtements d'été habituels, mais ils ne vous protégeront pas des étincelles, des braises ou du gras qui coule.

• Utilisez des gants de cuisine épais et des poignées.

• Assurez-vous que les accessoires électriques (par exemple, les rôtissoires) sont correctement mis à la terre.

• Sur un barbecue au gaz, en particulier un barbecue qui n'a pas été utilisé depuis longtemps, vérifiez les flexibles et les connecteurs à la recherche de fentes, de fragilité, de trous et de fuites. Assurez-vous que les flexibles ne sont pas tortillés. Recherchez les fuites de gaz selon les instructions du fabricant. N'UTILISEZ JAMAIS d'allumette pour chercher les fuites. Si vous croyez qu'il existe une fuite ou que vous sentez une odeur de gaz, N'ALLUMEZ PAS le barbecue.

Pendant la cuisson au gril

• Tenez les enfants et les animaux à l'écart du barbecue et ne laissez jamais un barbecue allumé sans surveillance. Un accident ou une brûlure peut se produire en une fraction de seconde. À température élevée, toutes les parties d'un barbecue sont surchauffées. (Le charbon de bois peut atteindre 1 000 °F !) Gardez toutes les matières inflammables, y compris les contenants d'essence à briquet et les réservoirs de gaz propane supplémentaires à l'écart de la zone de cuisson.

• Préparez d'avance les ingrédients et l'équipement afin de pouvoir vous concentrer sur le feu pendant la cuisson. Préparez tous vos ingrédients et vos condiments aussi. Il en va de même pour les outils dont vous avez besoin : spatules, pinces, pinceaux à badigeonner à longs manches et gants de cuisine. De cette façon, vous n'aurez pas à laisser le barbecue sans surveillance pour aller chercher le sel, par exemple.

• Ne permettez pas de jeux ou d'autres activités à proximité du barbecue. N'oubliez pas que le barbecue reste chaud bien plus longtemps que le temps de cuisson.

Conseils spéciaux de sécurité avec le charbon de bois

• NE BRÛLEZ JAMAIS de charbon de bois à l'intérieur, même pas avec un hibachi ou un barbecue portatif possédant un système de ventilation. Les émanations de monoxyde de carbone nocives sont incolores, inodores et létales. Les mêmes règles s'appliquent à propos de l'élimination du charbon de bois. NE RANGEZ JAMAIS à l'intérieur un barbecue qui contient du charbon fraîchement utilisé.

• N'UTILISEZ jamais un allumeur électrique sous la pluie ou lorsque vous vous tenez sur un sol mouillé. Une fois le charbon allumé, débranchez l'allumeur, retirez-le du charbon et déposez-le à un endroit sécuritaire. Laissez-le complètement refroidir avant de le ranger.

• Lorsque vous utilisez des briquettes à allumage instantané, n'ajoutez pas d'essence à briquets. N'utilisez pas non plus d'allumeur électrique ou de cheminée d'allumage. De plus, n'ajoutez pas de briquettes à allumage instantané à un feu existant. Utilisez du charbon de bois régulier.

• N'UTILISEZ JAMAIS de kérosène ou d'essence pour allumer le charbon. N'AJOUTEZ PAS d'allume-feu à un feu existant, même si le feu semble éteint ou seulement chaud.

• Utilisez un retardateur de flamme et des gants de cuisine lorsque vous manipulez une pièce ou l'autre du barbecue (même une poignée en bois peut devenir chaude). Réorganisez les morceaux de charbon avec un outil à long manche.

• Laissez le charbon brûler complètement et laissez les cendres refroidir pendant 48 heures avant d'en disposer.

Conseils spéciaux de sécurité pour les barbecues au gaz

• Le gaz propane (aussi appelé gaz de pétrole liquéfié ou pétrole liquide) est inflammable, et les émanations peuvent être explosives. Lisez et respectez toujours les instructions du fabricant du barbecue pour brancher et débrancher le réservoir de gaz propane.

• NE DEMANDEZ JAMAIS à un détaillant de pétrole de gaz liquéfié de remplir votre réservoir excessivement. Le réservoir type contient environ 20 livres de gaz propane. Le liquide doit avoir de l'espace pour prendre de l'expansion.

• Conservez toujours les réservoirs de gaz propane en position verticale sécuritaire. Lorsque vous transportez les réservoirs, ne les laissez pas dans un véhicule à la chaleur. La chaleur peut provoquer l'ouverture de la soupape de surpression, et le gaz peut s'échapper.

• NE RANGEZ PAS les réservoirs dans des espaces fermés comme un garage ou un sous-sol. Conservez les réservoirs de rechange loin de votre barbecue ou de toute matière inflammable. NE RANGEZ JAMAIS les réservoirs à un endroit où la température peut dépasser 120 °F.

• NE branchez ou ne retirez JAMAIS un réservoir de gaz propane lorsque le barbecue fonctionne ou est encore chaud.

• Une fois la cuisson terminée, refermez la valve du réservoir de propane et éteignez les brûleurs.

• Tenez les conduits de gaz à l'écart des surfaces chaudes et du gras qui coule. Si vous ne pouvez pas déplacer les conduits, installez un protecteur thermique.

• Remplacez les connecteurs de gaz dès les premiers signes de dommages, d'égratignures ou de cassures. N'utilisez jamais un réservoir de gaz propane qui est bosselé, rainuré, corrodé ou autrement endommagé.

• NE FUMEZ PAS ou n'allumez pas d'allumettes lorsque vous inspectez, remplissez ou allumez un barbecue au gaz ou un réservoir de gaz propane.

• Si vous sentez une odeur de gaz ou qu'il y a présence de fuite, fermez immédiatement le gaz à la source. Faites réparer le réservoir par un détaillant de gaz de pétrole liquéfié ou toute autre personne qualifiée. Ne tentez pas de le réparer vous-même.

Sécurité des aliments

Tous les éléments d'une saison de barbecue parfaite — de chaudes journées, des après-midi tranquilles, des festins préparés autour d'une table à pique-nique — sont également parfaits pour les bactéries. Voici quelques précautions simples pour préserver vos aliments.

Lavez souvent vos mains

Utilisez du savon, de l'eau chaude et savonnez pendant environ 30 secondes. Lavez vos mains avant de manipuler les aliments. Recommencez si vous manipulez de la viande crue, avant de servir le repas et avant de manger.

À chacun sa place

Gardez les aliments chauds au chaud et les aliments froids au froid. Et ce, dès que vous êtes à l'épicerie. Si vous achetez des aliments périssables lors d'une journée chaude, il est préférable d'apporter une glacière pour conserver les aliments au froid dans la voiture. Réfrigérez toujours les aliments périssables les deux heures suivantes. Dans l'heure qui suit lorsque la température dépasse 30 °C.

Ne sortez pas du réfrigérateur la viande ou la volaille si vous n'êtes pas prêt à commencer la cuisson. Si vos aliments sont rangés dans une glacière, tenez-la à l'abri du soleil et évitez de l'ouvrir trop souvent. Il est judicieux de ranger les boissons dans une autre glacière puisque vous risquez de l'ouvrir souvent.

Ne laissez pas les aliments périssables (y compris la salade de pommes de terre !) au chaud pendant plus de deux heures — une heure si la température dépasse 30 °C. Si vous devez réserver des hamburgers ou des steaks, mettez-les au four à 200 °F ; ne les laissez pas à la température ambiante.

Séparez cru et cuit

Il est facile d'oublier l'importance des règles de sécurité alimentaire lorsque vous préparez des aliments pour la cuisson au gril et une salade de pommes de terre en même temps. Virtuellement, toutes les viandes, volailles et fruits de mer crus contiennent des bactéries. Ce qui ne constitue pas un problème *a priori*, puisque les bactéries sont détruites au cours de la cuisson. Vous allez toutefois avoir un gros problème si vous utilisez le même couteau ou

Les « à ne jamais faire » de la sécurité alimentaire

1. NE PLACEZ JAMAIS la viande, la volaille ou le poisson sur le même plateau que celui utilisé pour les apporter au barbecue.

2. NE LAISSEZ JAMAIS d'aliments périssables dans un buffet par temps chaud pendant plus d'une heure.

3. NE PRÉPAREZ JAMAIS de salades ou d'accompagnements crus à l'aide de la même planche à découper, du même couteau ou des mêmes ustensiles qui ont été en contact avec des viandes crues. Lavez-vous les mains après avoir touché à de la viande crue.

4. N'UTILISEZ JAMAIS le même pinceau pour badigeonner des aliments crus et cuits sur le barbecue.

5. NE SERVEZ JAMAIS une marinade utilisée pour la viande ou la volaille crue comme sauce à moins qu'elle ait bouilli pendant au moins une minute.

la même planche à découper pour couper du céleri et de la viande ou de la volaille.

En langage de sécurité alimentaire, c'est ce qu'on appelle une contamination croisée. C'est d'ailleurs une des principales causes des maladies transmises par les aliments. Assurez-vous de conserver séparément les aliments crus et cuits. La viande, la volaille et les fruits de mer crus ne devraient jamais être en contact avec les aliments qui seront servis crus (par exemple une salade) ou avec les aliments déjà cuits (par exemple les légumes). Ne placez pas le poulet cuit ou les hamburgers sur le même plateau que vous avez utilisé pour les apporter au barbecue alors qu'ils étaient crus. Lavez les comptoirs, vos mains et l'équipement qui ont été en contact avec la viande ou la volaille crue avant qu'ils ne viennent en contact avec tout autre aliment.

Températures internes sécuritaires pour la viande

Bœuf, porc, veau ou agneau haché	160 °F
Volaille hachée	165 °F
Poitrines de volaille	170 °F
Cuisses, hauts de cuisse et ailes de volaille	180 °F
Dinde ou poulet entier*	180 °F
Bœuf, veau et agneau (steaks, côtes et rôtis)*	
Mi-saignant	145 °F
À point	160 °F
Bien cuit	170 °F
Porc frais (côtes, rôtis et filets)	
À point	160 °F
Bien cuit	170 °F

**Pour les rôtis et les grosses pièces de viande, prenez en compte le fait que la température continue d'augmenter de plusieurs degrés une fois la viande retirée du barbecue.*

Marinez en toute sécurité

Plusieurs recettes au gril requièrent que les viandes soient marinées afin de rehausser les saveurs. Assurez-vous donc que la marinade utilisée ne contribue pas aussi à faire proliférer les bactéries. La pratique la plus sécuritaire est de conserver une petite quantité de marinade à part. Vous pouvez ensuite mariner, jeter la marinade employée et utiliser celle que vous avez conservée pour badigeonner pendant la cuisson ou l'utiliser comme sauce.

Si vous utilisez une marinade à viande pour badigeonner, NE BADIGEONNEZ PAS pendant les cinq dernières minutes de cuisson et n'UTILISEZ PAS le même pinceau pour les aliments crus et cuits. Si vous souhaitez servir la marinade utilisée en sauce d'accompagnement, vous devez la faire bouillir pendant au moins une minute afin de la rendre sécuritaire.

Faites griller la viande pour qu'elle atteigne une température interne sécuritaire

Si vous pensez qu'il est possible de savoir à l'œil nu si un hamburger est cuit à une température sécuritaire, détrompez-vous. Selon le département de l'Agriculture des États-Unis, un hamburger sur quatre devient brun au centre avant d'avoir atteint une température interne sécuritaire (et certains hamburgers encore roses sont tout à fait sécuritaires !). La couleur interne de la viande n'est PAS un moyen fiable de juger de sa sécurité. La seule façon précise de savoir si une viande a cuit assez longtemps pour tuer toutes les bactéries pathogènes est d'utiliser un thermomètre à viande ou un thermomètre à lecture instantanée.

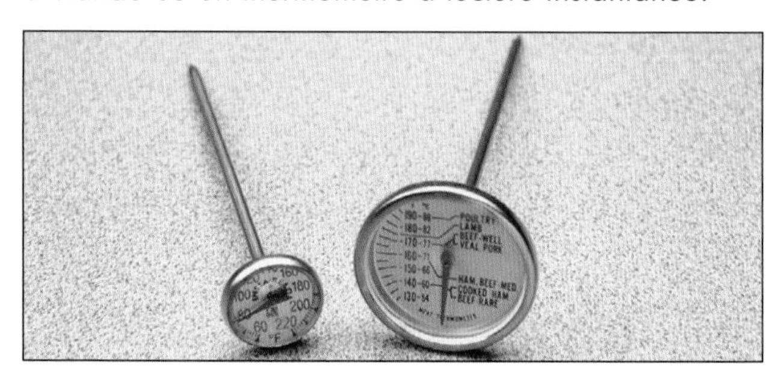

Outils et astuces

Il existe dans le commerce un nombre incommensurable de gadgets, d'outils et de joujoux pour les adeptes de la cuisson au gril. On y trouve l'équipement utile certes, mais également des gadgets agréables à avoir et des objets complètement farfelus. (Qui a vraiment besoin d'un fer à marquer pour identifier les steaks saignants, à point et bien cuits?)

Les impératifs

Brosse à grille: C'est l'outil que vous utiliserez le plus souvent au cours de votre saison de barbecue alors ne lésinez pas sur sa qualité. Il existe plusieurs styles de brosses à barbecue, mais la plupart sont dotées d'un long manche en bois, et la brosse elle-même est faite de soies de laiton. (Consultez votre guide du propriétaire pour connaître les instructions de nettoyage spécifiques à votre barbecue.) Ces brosses sont aussi souvent dotées d'un grattoir à une extrémité permettant de récurer les résidus les plus tenaces. Il existe aussi une brosse dont les soies sont en forme de Y qui est conçue pour récurer individuellement chaque barre de la grille, mais surtout les aliments collés sur le revers de la grille.

Pinces: C'est l'outil de cuisson le plus important que vous achèterez. Investissez dans des pinces robustes et longues (14 à 16 po). Des extrémités festonnées vous procureront une prise ferme lorsque vous saisirez du poulet ou des légumes glissants. (Les pinces métalliques standards que vous avez peut-être dans votre cuisine — celles avec les extrémités en boucle — risquent fort de laisser s'échapper les aliments grillés.) Choisissez des pinces qui sont suffisamment solides pour ne pas céder si vous devez prendre un demi-poulet ou un énorme steak. Les pinces de bonne qualité sont normalement à ressort. Plusieurs sont même équipées d'un dispositif de verrouillage qui permet de les ranger plus facilement. Les magasins de fournitures de restaurant proposent une vaste sélection de pinces pour chefs à des prix très raisonnables. Certaines sont conçues spécifiquement pour la cuisson au gril avec des poignées en bois qui ne chauffent pas.

Spatule: Comment retourner un hamburger sans elle? Recherchez des spatules à long manche, de préférence en bois qui ne chauffe pas. La lame doit être de bonne dimension et suffisamment mince pour se glisser facilement sous les aliments. Des trous ou des fentes dans la lame laissent le gras ou le jus s'égoutter. Il existe même des spatules spéciales avec des lames très larges qui permettent de retourner des aliments aussi délicats que des filets de poisson, sans les briser.

Thermomètres : Un thermomètre intégré au barbecue qui vous permet de savoir en tout temps quelle est la température à l'intérieur du barbecue est toujours pratique. Il est plus important toutefois d'avoir un thermomètre qui vous indique que les aliments sont prêts à être retirés du barbecue. Choisissez un thermomètre à viande résistant à la chaleur que vous pouvez piquer dans les aliments pendant la cuisson ou un thermomètre à lecture instantanée qui vous donne la température interne de n'importe quel aliment en quelques secondes seulement. Vous pouvez même acheter une fourchette de barbecue avec thermomètre à viande intégré. Si vous investissez un peu plus, vous pourrez acheter un thermomètre doté d'une sonde que vous laissez dans la viande pendant la cuisson. Un fil relie le thermomètre à un dispositif de lecture extérieur qui émet une tonalité vous indiquant que la température précisée est atteinte.

Gants de barbecue : Veillez à choisir des gants robustes qui résistent aux flammes afin de protéger vos mains et vos avant-bras. Pour une protection maximale, choisissez des gants spécialement conçus pour le barbecue.

Fourchette de barbecue : Ne l'utilisez pas pour piquer la viande et la trouer : vous perdrez son précieux jus ! Utilisez-la plutôt pour soulever de gros rôtis ou des volailles entières lorsqu'elles sont cuites. Les fourchettes de barbecue sont aussi essentielles pour découper.

Pinceau à badigeonner : Recherchez un pinceau à soies naturelles avec un long manche. Les soies en nylon risquent de fondre si elles touchent la grille chaude. Portez toujours des gants de barbecue lorsque vous badigeonnez afin de vous protéger des « enflammées » soudaines.

Pinceau à badigeonner en herbes : Fabriquez un pinceau en attachant quelques branches de fines herbes. Le romarin est particulièrement efficace à cette fin.

Bacs récepteurs : Ces bacs simples et jetables en aluminium s'avèrent une nécessité. Leur version réutilisable est encore plus recommandée puisqu'elle épargne l'environnement. Utilisez-les sous les aliments afin de recueillir le gras et le jus de la cuisson indirecte. Vous pouvez aussi les utiliser pour tremper des copeaux de bois qui serviront au fumage ou de couvercle improvisé sur des aliments sélectionnés sur la grille lorsque vous souhaitez ne faire griller qu'une partie du menu à découvert.

Papier d'aluminium renforcé: Cette pellicule peut être utilisée pour presque tout, que ce soit pour recouvrir un bac récepteur ou pour créer une pochette de fumage jetable ou encore pour faire des « poignées » à un aliment lourd ou difficile à retourner. Achetez le gros rouleau...

Pratiques mais pas essentiels

Brosse à récurer pour grille: Ce tampon robuste en fibres métalliques possédant une poignée est utilisé pour nettoyer les grilles et les chambres de combustion. Contrairement à la brosse pour grille, il est normalement destiné à une utilisation sur une grille froide pour un nettoyage plus général.

Grille pour légumes: Ces plaques métalliques perforées qui se déposent sur la grille de cuisson permettent de faire cuire des légumes en petits morceaux ou des aliments qui tomberaient autrement sous la grille. Ce type de grille est également pratique pour les aliments fragiles, par exemple les filets de poisson et les végéburgers. Vaporisez toujours les grilles pour légumes avec un corps gras qui empêchera les légumes de coller. Les woks et poêles pour le barbecue sont du même types, mais ont des rebords, ce qui vous permet de mélanger les aliments et de cuisiner un peu comme vous le feriez sur l'élément de votre cuisinière.

Paniers métalliques à charnières: Adoptant un principe semblable à celui de la grille pour légumes, les paniers métalliques sont offerts en plusieurs dimensions et styles. Ils vous permettent non seulement de faire cuire des morceaux d'aliments délicats de petite taille, mais ils les rendent aussi plus faciles à retourner. Les paniers pour poissons (souvent en forme de poisson) sont particulièrement pratiques si vous prévoyez faire griller beaucoup de fruits de mer. Les paniers métalliques sont dotés de longues poignées (parfois amovibles aux fins de rangement) pour retourner facilement les aliments.

Fumoir: Les adeptes du gril au gaz qui souhaitent ajouter l'arôme de fumée de bois aux aliments peuvent investir dans un de ces produits. Un fumoir est une boîte métallique perforée qui contient des copeaux de bois préalablement trempés et qui est placée sur la grille de cuisson pour ajouter aux aliments un arôme d'hickory, de mesquite ou d'une autre essence de bois.

Lève-grille: Cet outil pratique vous permet de soulever une grille chaude lorsqu'il est nécessaire d'ajouter des briquettes. (Vous n'en avez pas besoin si votre grille de barbecue est à charnière ou si votre barbecue est au gaz.)

Broches : Elles existent en douzaines de formes et de tailles. Voici les deux plus pratiques.

- **Broches en bambou :** Disponibles en plusieurs longueurs, elles sont offertes dans la plupart des épiceries et sont jetables. Elles sont pratiques non seulement pour les kebabs et autres brochettes, mais aussi pour maintenir ensemble les rondelles d'oignon ou les morceaux de radicchio pour qu'ils ne se défassent pas lorsque vous les retournez. Les broches en bambou devraient être trempées pendant 30 minutes avant l'utilisation. Elles brûleront ainsi moins vite.
- **Broches de métal :** Les meilleures broches de métal sont plates puisqu'elles empêchent les aliments piqués de tourner. Certaines ont des poignées décorées, et d'autres sont courbées si vous en avez assez des choses droites. Les broches doubles sont destinées aux aliments glissants comme les crevettes et les oignons. Elles retiennent les aliments bien en place même lorsqu'ils sont retournés.

Supports pour côtes : Faire cuire un carré de côtes à la verticale dans un support pour côtes libère de l'espace sur la grille pour d'autres aliments (ou pour davantage de côtes !). Cela facilite aussi l'écoulement du gras dans un endroit plus restreint. Vous pouvez acheter des supports pour faire cuire de la volaille, du maïs et même des pommes de terre.

Rôtissoire : Vous pouvez acheter une rôtissoire électrique à titre d'accessoire pour la plupart des barbecues au charbon de bois et au gaz. La rôtissoire tourne lentement la viande au-dessus de la source de chaleur. Le brunissage est alors égal et uniforme, et la viande se badigeonne d'elle-même dans son propre jus alors qu'elle tourne. Si vous prévoyez faire un investissement, achetez une rôtissoire conçue pour votre modèle de barbecue et pensez à l'espace nécessaire — au moins un pouce au-dessus de l'aliment rôti.

Ce dont vous pouvez sûrement vous passer

Fourchette à guimauve : Spécifiquement conçue pour faire griller les guimauves, cette fourchette vous indique lorsque la guimauve est cuite à la perfection et dégage même la guimauve grâce à un levier spécial.

Tablier de chef ou chapeau avec grande citation : « Embrassez le chef », « Roi du barbecue », « Je ne vieillis pas, je marine »... Si vous appréciez ce type d'humour, assurez-vous que le vêtement est fait de coton épais, et non pas de tissu synthétique qui pourrait fondre.

Broche pour grizzly : Cette très grande broche à pile, qui n'est pas vraiment fabriquée pour la viande d'ours, est conçue pour faire griller de gros morceaux de viande au-dessus d'un feu de camp.

Glossaire

Allumage automatique: Équipement standard sur la plupart des barbecues au gaz, ce bouton vous permet d'allumer les brûleurs au gaz à l'aide d'un simple bouton.

Anneau à fumée: Ce style de feu de charbon de bois permet de garder les charbons allumés en forme d'anneau sur le contour du barbecue. L'intérieur de l'anneau exempt de charbon, et donc de flammes, est utilisé pour la cuisson au gril indirecte ou pour garder les aliments qui cuisent ou carbonisent trop rapidement.

Arroser: Badigeonner un aliment avec un corps gras ou un liquide savoureux pendant qu'il cuit. Lorsqu'une sauce ou une marinade à arroser contient du sucre, par exemple la sauce barbecue, n'arrosez que lors des dernières minutes de cuisson sur le gril puisque les marinades sucrées brûlent rapidement.

Bac récepteur: Ce bac en aluminium jetable ou réutilisable sert à recevoir le gras qui coule pendant la cuisson indirecte.

Bac récepteur: Ce bac est situé sous la chambre de combustion d'un barbecue au gaz et recueille le gras et les autres liquides provenant des aliments. Videz-le régulièrement.

«Badigeon»: Un liquide d'arrosage fait à partir d'épices et de fines herbes, utilisé pour ajouter saveur et humidité pendant la cuisson aux aliments grillés.

Barbecue australien: Un barbecue au charbon de bois en forme de bol doté d'un couvercle et inventé en 1952. Ce style de barbecue est devenu un classique de la cuisson au gril.

Barres aromatisantes: Plaques ou barres chauffantes métalliques en forme de V que l'on place sur les brûleurs au gaz d'un barbecue fonctionnant avec des pierres volcaniques ou des briquettes de céramique.

Boîte ou pochette de fumage: Il s'agit d'un contenant conçu pour retenir les copeaux de bois savoureux qui ont été préalablement trempés. La boîte de fumage est perforée pour laisser la fumée produite par les copeaux pénétrer les aliments grillés. Il est possible de créer une pochette de fumage jetable à l'aide de papier d'aluminium épais.

Brasero: Il s'agit d'un bac qui retient les charbons qui brûlent; en d'autres mots, c'est un simple barbecue sans grille de cuisson.

Briquette: Une briquette est une masse compacte en forme de brique. Les briquettes de charbon de bois — le carburant le plus utilisé pour la cuisson au gril — sont des carrés de charbon de la forme d'un oreiller qui sont maintenus ensemble à l'aide de liants (habituellement un type d'amidon) et d'autres ingrédients pour garantir un brûlage long et stable. La mise en marché des briquettes de charbon de bois a débuté lorsque Henry Ford y a vu un moyen rentable d'utiliser les restes de bois de son usine de fabrication automobile. (Voir aussi charbon de bois.)

Briquettes de céramique: Sur certains barbecues au gaz, ces briquettes réutilisables répartissent également la chaleur et produisent de la fumée, grâce au gras qui coule des aliments, afin de leur donner de la saveur.

Broche ou brochette: Une baguette longue, mince et pointue fabriquée en bois ou en métal qui est utilisée pour enfiler les aliments et créer des kebabs, des brochettes ou des satés. Les brochettes sont aussi pratiques pour retenir ensemble les rondelles d'oignons ou tout autre aliment qui a tendance à ne pas se tenir!

Brochette: La traduction française du mot «skewer», souvent utilisé au lieu de kebab.

Chambre de combustion: C'est la partie qui retient les charbons dans une grille de barbecue ou qui entoure les brûleurs d'un barbecue au gaz.

Charbon de bois: Le charbon est du bois qui a brûlé longtemps sans oxygène jusqu'à ce qu'il se transforme en carbone. Ça peut sembler étrange de faire un feu avec du bois qui a déjà brûlé. Pourtant, le charbon brûle plus lentement et en devenant plus chaud que le bois ordinaire. Le charbon est un carburant très utilisé pour la cuisson et pour le chauffage dans plusieurs parties du monde.

Charbon de bois en blocs: Charbon de bois naturel sans liants ou additifs. Il devient plus chaud et brûle plus vite que les briquettes de charbon de bois.

Cheminée d'allumage: Ce cylindre métallique vide est conçu pour allumer le charbon sans utiliser d'essence à briquet. (Voir page 12.)

Contamination croisée: La cause la plus fréquente de maladies alimentaires, la contamination croisée se produit généralement lorsque la viande ou la volaille crue est en contact avec des aliments servis sans cuisson. (Voir page 21.)

Copeaux de bois: Les copeaux de bois sont offerts en plusieurs arômes, dont l'hickory, le mesquite et le cerisier. Après avoir trempé pendant une heure, ils sont ajoutés au charbon ou placés dans une boîte de fumage d'un barbecue au gaz afin de donner un goût fumé aux aliments grillés. Vous pouvez aussi acheter des copeaux prétrempés dans une boîte qui sont prêts à être utilisés.

Cuisson au gril: Strictement parlant, la cuisson au gril consiste à faire cuire des aliments sur des charbons chauds ou sur un feu à température élevée. Toutefois, le terme est aussi utilisé pour décrire la plupart des types de cuisson à l'extérieur, y compris la cuisson à faible température dans un barbecue fermé. La plupart du temps, y compris dans ce livre, le terme « cuisson au gril » à le même sens que le terme « rôtir ou griller au barbecue ».

Cuisson au gril directe: La méthode qui permet de faire cuire des aliments directement au-dessus de la source de chaleur. (Voir page 15.)

Cuisson au gril indirecte: Pour créer ce type de cuisson, les aliments sont placés au-dessus d'un bac récepteur au lieu d'une source de chaleur directe. La cuisson indirecte est utilisée pour les aliments qui ont besoin d'une longue cuisson à température basse. (Voir page 16.)

Cuisson sur braise: La cuisson sur braise permet de faire rôtir les aliments directement sur les charbons chauds. Cette technique est parfois utilisée pour faire cuire les ignames ou les pommes de terre. L'extérieur brûlé est gratté avant la consommation.

« Enflammées »: Les petits feux qui débutent avec des gouttes de gras sur le charbon de bois ou sur toute autre surface chaude s'appellent des « enflammées ». Celles-ci peuvent poser problème lors de la cuisson d'aliments gras sur le gril. (Voir la page 17 pour des suggestions sur la façon de les aborder.)

Fentes: Ces ouvertures réglables sous la grille et dans le couvercle d'un barbecue permettent de contrôler l'apport en oxygène, ce qui module le niveau de chaleur dans le barbecue.

Feu à deux ou à trois niveaux: Un feu à deux niveaux est un feu de charbon de bois préparé avec des zones de chaleur créées en empilant des charbons en double couche pour produire une température élevée et en couche simple pour produire une chaleur moyenne. Un feu à trois niveaux est donc identique à celui à deux niveaux, avec un troisième niveau entièrement libre de charbon afin d'avoir un espace pour les aliments qui cuisent ou carbonisent trop rapidement.

Fumage à chaud: C'est une autre façon de désigner la cuisson au gril ou le rôtissage au barbecue. Les aliments sont cuits lentement à température faible pendant une longue période, souvent avec l'ajout de copeaux de bois dur donnant une saveur fumée.

Fumage à froid: Cette technique est souvent utilisée pour produire du saumon fumé. L'aliment est placé à distance du feu ; il est donc fumé sans cuire. Il ne faut cependant pas essayer cette technique à la maison.

Fumoir: Un fumoir traditionnel est composé d'une chambre de combustion à une extrémité et d'une chambre de cuisson ou de fumage à l'autre. Il peut être horizontal ou vertical et parfois comprendre une chambre qui retient le liquide pour produire un fumage humide.

Gaz propane: C'est le carburant le plus utilisé dans les barbecues au gaz. Les réservoirs de gaz de pétrole liquéfié peuvent être achetés, remplis ou échangés dans la plupart des supermarchés, des quincailleries et des centres de rénovation.

Grille : La surface de cuisson d'un barbecue est appelée grille.

Grille à charbon: Cette grille est placée dans la chambre de combustion et retient les charbons.

Hibachi: Un style de barbecue traditionnel japonais, le hibachi est un petit barbecue portatif doté d'une chambre de combustion en métal épais et d'une grille placée sur les charbons. Les grilles sont habituellement réglables en hauteur pour que la température puisse être contrôlée en changeant la distance entre le charbon et les aliments.

Kebab (ou shish kebab): Petits morceaux de viande, de volaille, de légumes ou de poisson enfilés sur une broche et ensuite grillés.

Maladie alimentaire: C'est le terme approprié pour ce que le gens appellent souvent « empoisonnement alimentaire ».

Mariner: Mariner, c'est faire tremper des aliments

pendant un certain temps dans un mélange liquide assaisonné (une marinade) qui compte généralement un acide.

Marques de grilles: Ces marques de grilles appétissantes sont créées en plaçant les aliments sur une grille préchauffée au-dessus d'une chaleur directe.

Mesquite: Un des bois les plus populaires pour ajouter de la saveur aux aliments grillés, le mesquite provient d'un arbre des régions arides du Sud-Ouest des États-Unis et du Mexique. La saveur de mesquite est souvent ajoutée aux briquettes de charbon de bois et aux sauces barbecue.

Morceaux de bois dur: Les morceaux de bois dur, par exemple d'hickory, de cerisier ou de mesquite, sont normalement utilisés pour donner une saveur fumée aux aliments. Les morceaux de bois dur peuvent aussi être utilisés comme principal carburant, mais ils brûlent très rapidement.

Panier ou grille à légumes: Cette grille ou ce panier à légumes est déposé sur la grille pour empêcher les petits aliments, par exemple les légumes, de tomber de la grille.

Paniers métalliques à charnières: Ces paniers métalliques sont disponibles en plusieurs formes et dimensions. Ils sont conçus pour pouvoir retourner les aliments délicats plus facilement, par exemple les filets de poisson ou les végéburgers, sans qu'ils ne collent à la grille ou ne se brisent.

Papillote: Il s'agit d'un paquet fait de papier d'aluminium et rempli d'aliments pour le barbecue. Le paquet hobo est pratique pour faire cuire des combinaisons d'aliments qui tirent avantage d'un mélange de saveurs. Ces paquets sont également utiles pour protéger les aliments fragiles comme les filets de poisson.

Pâte: Faite d'un mélange d'herbes, d'épices et d'assaisonnements, cette pâte est appliquée sur la viande ou sur la volaille avant la cuisson.

Pierres volcaniques: Ces morceaux de pierres poreuses sont utilisés dans certains barbecues au gaz afin de répartir uniformément la chaleur et de produire une fumée savoureuse grâce au gras qui coule de la viande.

Poulet sur cannette de bière: Cette recette propose de faire cuire un poulet entier à la verticale, sur une cannette de bière à moitié vide, grâce à la chaleur indirecte.

Récepteur de cendres: Ce réceptacle peu profond en métal placé sous la grille d'un barbecue au charbon de bois est conçu pour recueillir les cendres du charbon consumé. Souvent, les fentes sous le barbecue peuvent être utilisées comme des leviers pour faire passer les cendres dans le récepteur.

Réservoir de gaz ou réservoir de gaz de pétrole liquéfié: Ce réservoir est rempli de pétrole liquide ou de gaz propane et est utilisé pour alimenter la plupart des barbecues au gaz.

Rôtir ou griller au barbecue: Personne ne s'entend sur la définition de ce terme. C'est une méthode de cuisson à faible chaleur qui utilise un fumoir recouvert. Les aliments, par exemple les poitrines ou les côtes, obtiennent leur saveur de la fumée du bois et sont arrosés d'une sauce très assaisonnée. De nos jours, les deux termes — rôtir ou griller au barbecue et cuire au gril — sont souvent inversés (à moins que vous ne viviez au Texas).

Rôtissoire: Une rôtissoire est une broche insérée dans les aliments que l'on place ensuite sur un dispositif à moteur qui fait tourner les aliments pendant la cuisson, leur permettant de s'arroser de leur propre jus et de cuire plus uniformément.

Saisir: Saisir signifie faire brunir la viande ou la volaille rapidement en la déposant sur une source de chaleur très élevée. Même si on ne s'entend pas à savoir si le fait de saisir enferme vraiment le jus à l'intérieur de la viande ou de la volaille, tous s'accordent pour dire que cela crée un extérieur croûté délicieux.

Saté: D'origine indonésienne (et de l'Asie du Sud-Est), le saté est un mélange de viande et de légumes marinés sur brochette de style kebab qui est ensuite grillé. Les satés sont souvent servis avec une trempette piquante aux arachides.

Teriyaki: Cette marinade japonaise est faite de sauce soya, de gingembre, de sucre et d'autres assaisonnements. Elle est souvent utilisée sur les aliments grillés.

Thermomètre à lecture instantanée: Outil irremplaçable pour déterminer si les aliments sont prêts. La sonde métallique vous donne la température interne de l'aliment en quelques secondes.

Le bœuf
Hamburgers, steaks, rôtis et côtes

Existe-t-il quelque chose de mieux qu'un steak ou un hamburger grillé à la perfection à l'extérieur et dégoulinant de jus à l'intérieur? Le bœuf et le barbecue sont faits pour aller ensemble. Si vous savez quelles coupes faire griller et comment les faire griller pour en tirer le maximum, vous obtiendrez les meilleures saveurs du bœuf.

Comment réussir un hamburger parfait

Un hamburger grillé est un classique du barbecue maison pour une bonne raison : c'est totalement délicieux et magnifiquement satisfaisant. En fait, si vous cuisinez d'extraordinaires hamburgers, il est possible que vous ayez de la difficulté à convaincre famille et amis de vous laisser cuisiner autre chose sur le gril.

1. Commencez avec une viande hachée fraîche de qualité supérieure.
Pour créer des hamburgers savoureux, oubliez les boulettes de viande congelées préformées et préparez-les vous-même. La plupart des chefs s'entendent pour dire qu'une petite quantité de gras est nécessaire pour donner du goût. Une viande contenant environ 15 % de gras est donc un bon choix. Si vous êtes inquiet à propos du pourcentage de gras, n'oubliez pas que la cuisson sur le gril laisse s'échapper le gras tout en créant une bonne saveur fumée.

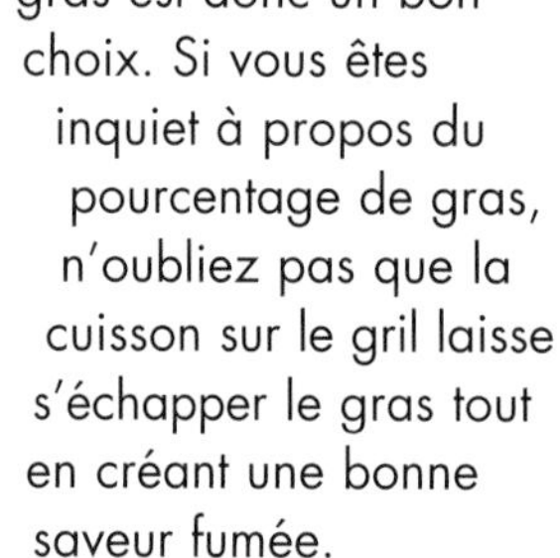

2. Ne manipulez pas trop la viande.
Si vous la pétrissez trop, la viande se compactera et ne sera pas aussi juteuse une fois cuite. Façonnez vos boulettes délicatement mais fermement. Réfrigérez-les avant de les faire griller afin de les garder fermes.

3. Ne faites pas des boulettes trop épaisses.
L'idéal se situe entre 3/4 de pouce et 1 pouce d'épaisseur. La sécurité alimentaire exige que l'intérieur de chaque hamburger atteigne une température de 160 °F. Des hamburgers trop épais risquent de brûler à l'extérieur avant d'atteindre cette température.

4. Préchauffez le barbecue.
Il est aussi important de huiler la grille une fois qu'elle est chaude. Les hamburgers devraient grésiller lorsqu'ils touchent la grille. Une température élevée les empêche de coller et leur donne de superbes marques de grilles.

5. Ne les retournez pas trop rapidement.
Laissez les hamburgers griller pendant 3 à 4 minutes. Ils se décolleront de la grille et se tourneront plus facilement. Si vous les retournez rapidement, vous risquez de les briser.

6. N'écrasez pas les boulettes.
Vous perdrez le précieux jus et beaucoup de saveur si vous écrasez les hamburgers avec votre spatule.

7. Utilisez un thermomètre.
Insérez un thermomètre à lecture instantanée à l'intérieur du hamburger afin de juger de sa cuisson. La lecture devrait être de 160 °F. (N'oubliez pas de retirer le thermomètre après utilisation, sinon il risque

de fondre.) La couleur interne de la viande n'est pas un moyen fiable de juger de sa sécurité. (Voir page 22.)

8. Servez-les chauds avec les condiments de votre choix.
Préparez les condiments à l'avance pour ne pas être obligé de les laisser refroidir pendant que vous allez chercher le ketchup ou tranchez les tomates.

Comment faire griller le steak parfait

Tous les steaks ne devraient pas être grillés de la même façon. Il est donc important de comprendre d'abord les différentes coupes. Les noms inscrits chez votre boucher peuvent créer de la confusion. Par exemple, un *strip steak* (ou coquille d'aloyau pour les puristes) est parfois appelé *New York strip steak* ou *shell steak*, selon le coin de pays dans lequel vous vivez (ou selon l'origine de votre boucher !). Chaque type de steak a ses partisans. Règle générale, les coupes les plus coriaces et fibreuses, comme le bifteck de hampe, ont un goût de bœuf plus prononcé. Les coupes les plus coûteuses, comme le filet mignon, sont maigres et beaucoup plus tendres, mais leur saveur est beaucoup plus subtile.

Certaines règles s'appliquent à la cuisson au gril de tout steak. Coupez tout le gras à l'exception de 1/4 de pouce de gras visible afin d'éviter les « enflammées ». Tamponnez les steaks pour les assécher afin de les aider à brunir plus rapidement. Assurez-vous que le charbon a atteint une température élevée ou que, dans le cas d'un barbecue au gaz, celui-ci a été préchauffé pour que la viande saisisse lorsqu'elle touche la grille. Pour tourner la viande, utilisez des pinces. Si vous percez la viande avec une fourchette, vous perdrez le savoureux jus. Enfin, ne la cuisez pas trop !

Bifteck de faux-filet
(aussi appelé noix d'entrecôte ou, lorsque l'os y est encore attaché, un bifteck de côte) : Coupe prise dans la petite extrémité du rôti de côte, le bifteck de faux-filet est tendre et juteux. En fait, ce pourrait être le meilleur steak pour le gril. Saisissez-le bien et faites-le griller à la cuisson de votre choix. Il est en effet difficile de se tromper avec un bifteck de faux-filet.

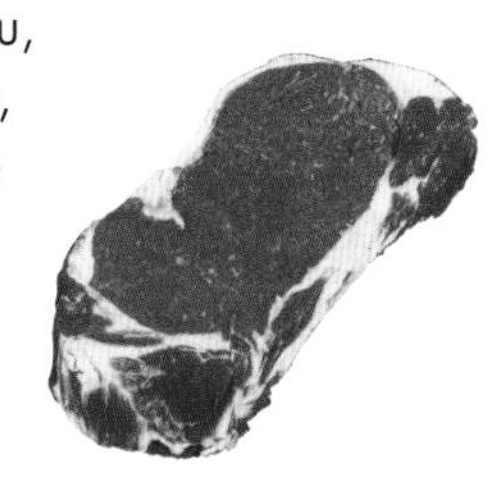

Bifteck d'aloyau : Ces deux coupes avec os ont une portion surlonge et une portion filet (filet mignon) du côté le plus petit. Le bifteck d'aloyau est normalement un steak de bon format, épais, coupé dans la plus grande portion de la longe. Ce type de steak peut aussi bien être saisi sur une chaleur directe, puis terminé à une chaleur élevée ou moyenne. Si vous faites cuire un bifteck d'aloyau épais, préparez-vous à le déplacer rapidement vers une section moins chaude du barbecue ou à réduire la chaleur s'il commence à roussir.

Des garnitures de hamburgers qui sortent de l'ordinaire

- Champignons et oignons grillés
- Guacamole ou tranches d'avocat
- Salsa
- Salade de chou
- Beurre aux herbes
- Mayonnaise aromatisée (aux chipotles, au wasabi ou au pesto)
- Poivrons grillés
- Relish au maïs
- Sauce teriyaki
- Fromage de chèvre
- Fromage feta et olives tranchées
- Chili
- Brie et pesto

Obtenir de belles marques de cuisson au gril

Ces superbes marques de cuisson au gril que vous pouvez observer sur la viande dans les grilladeries huppées sont faciles à réaliser dans votre cour. Les marques de grilles ne donnent pas un meilleur goût à un bifteck, mais elles vous feront passer pour un professionnel. Voici comment donner une apparence infaillible à vos steaks.

1. Veillez à ce que la grille soit chaude et la viande bien asséchée.

2. Saisissez le bifteck à une chaleur directe pendant 1 à 2 minutes.

3. Soulevez le bifteck à l'aide d'une spatule ou de pinces et tournez-le à l'horizontale de 90°. Ne le retournez pas ! Faites cuire pendant 1 à 2 minutes de plus.

4. Retournez ensuite le bifteck à l'aide de pinces ou d'une spatule. Vous verrez les marques quadrillées du premier côté. Saisissez la viande pendant 1 à 2 minutes.

5. Tournez encore le bifteck de 90° sans le retourner, continuez la cuisson jusqu'au degré désiré.

***Strip steak* ou coquille d'aloyau** (aussi appelé contre-filet ou bifteck de surlonge) : Ce steak est un contre-filet sans le filet (la plus petite portion d'un bifteck d'aloyau). Plusieurs amateurs de steak croient que la texture ferme et la saveur très prononcée de cette coupe de bœuf sont insurpassables. Achetez une coquille d'aloyau d'au moins 3/4 de pouce d'épais, saisissez-la et terminez la cuisson sur une chaleur directe élevée ou moyenne.

Filet mignon (aussi appelé filet) : Un steak rond relativement petit, le filet mignon est maigre et extrêmement tendre. Faites-le griller à chaleur élevée en prenant bien soin de ne pas trop le cuire.

Bifteck de surlonge : La surlonge propose une saveur de bœuf riche et prononcée à un prix raisonnable. Le haut de surlonge est normalement plus tendre (et plus coûteux) que le bas de surlonge.

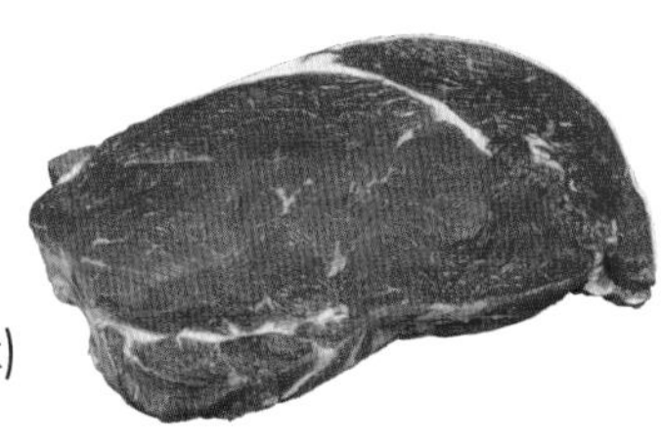

Puisqu'il peut être coriace, le bifteck de surlonge est souvent mariné et tranché finement dans le sens du grain.

Bifteck de flanc roulé (*London broil*) : Normalement, il s'agit d'une coupe épaisse de haut de ronde ou de surlonge. (Parfois, le bifteck de flanc est aussi appelé bifteck de flanc roulé ou *London broil*.) Cette coupe relativement maigre accepte bien la marinade et grille mieux à une cuisson moyenne et lorsque coupée en fines tranches contre le sens du grain.

Bifteck de flanc : Cette coupe maigre très savoureuse peut être coriace et filandreuse. Elle est souvent marinée et devrait être grillée à une cuisson moyenne, sans plus. Tranchez le bifteck de flanc en petites tranches contre le sens du grain pour servir.

Bifteck de hampe: Cette coupe longue et mince est depuis toujours la préférée de l'Amérique latine et la coupe traditionnelle des fajitas. Tout comme le bifteck de flanc, elle est maigre et très savoureuse. Faites griller le bifteck de hampe à température élevée pour une cuisson mi-saignante et coupez-le en tranches minces dans le sens du grain.

Rôtis de bœuf et côtes

Comme c'est le cas avec les biftecks, connaître la coupe de bœuf que vous utilisez est une grande part du défi. Consultez la recette afin de déterminer ce que vous devez acheter et la meilleure méthode de cuisson selon la pièce choisie. Les rôtis doivent être cuits grâce à une chaleur indirecte. (Voir page 16.) Certains rôtis — rôti de côte, surlonge entière — sont naturellement tendres. D'autres, pointe de poitrine, bloc d'épaule, ont besoin d'un petit coup de pouce (marinage ou enrobage dans du papier d'aluminium) pour s'attendrir. Le fumage lent est souvent recommandé pour les pointes de poitrine.

Les côtes de bœuf sont beaucoup moins populaires dans les barbecues américains que les côtes de porc. C'est dommage parce que, lorsque bien apprêtées (lentement, très lentement), les côtes de bœuf sont résolument délicieuses. Il existe deux types de côtes de bœuf.

Les bouts de côtes de bœuf (aussi appelés haut-de-côtes) : Ce sont des côtes relativement rectangulaires (environ 2 po sur 3 po), coupées à partir d'un bloc d'épaule de bœuf, qui doivent donc être cuites longtemps pour s'attendrir. Les côtes de bœuf coupées en travers sont coupées d'un côté à l'autre de l'os plutôt qu'entre les os.

Les côtes de bœuf (aussi appelées côtes de dos de bœuf) semblent provenir d'un mastodonte. Un carré complet (7 côtes) de ces côtes géantes nourrira facilement deux personnes. Comme les bouts de côtes et les côtes de porc, les côtes de bœuf doivent être cuites grâce à une chaleur indirecte, à feu bas, pendant très longtemps.

BŒUF – Tableau des temps et des températures

COUPE	TEMPS DE CUISSON APPROXIMATIF	TEMP. INTÉRIEURE
Hamburgers	5 à 6 minutes par côté	160 °F
Biftecks (1 po d'épaisseur)	3 à 4 minutes par côté pour une cuisson saignante	140 °F
	4 à 6 minutes par côté pour une cuisson moyenne	160 °F
	6 à 7 minutes par côté pour un bifteck bien cuit	170 °F
Rôti de filet (4 à 5 livres)	1 h 15 (indirecte) pour une cuisson moyenne	160 °F
Côtes de bœuf	2 heures (indirecte)	170 °F

Le porc

On dit souvent que « Tout est bon dans le cochon », sauf la queue. Presque toutes les parties du porc se cuisent bien au barbecue, si vous savez comment les faire griller. Une cuisson adéquate permet au gras de fondre et à la délicieuse saveur fumée de pénétrer la viande. Le porc est très facile à griller et n'en est pas moins délicieux.

En faveur des côtes

Achetez les bonnes côtes. Recherchez les carrés de côtes dont les os sont bien recouverts de viande et qui ne comportent pas de grandes sections de gras. Plusieurs produits de porc frais vendus sont « améliorés » avec une solution d'eau, de sel et d'aromatisants qui les rendent plus juteux. Consultez les étiquettes et, si vous achetez ces produits « assaisonnés », sachez qu'il n'est pas nécessaire d'utiliser autant de sel qu'avec des côtes ordinaires.

1. Coupez la viande, au besoin.
Les carrés de côtes levées sont vendus entiers ou selon le style St-Louis. Les côtes entières ont un rabat de viande à l'intérieur des côtes. Coupez cette partie et faites-la griller aussi. Il y a également une bande de viande et de cartilage le long du rebord du carré (bouts de côtes) qui devraient être retirée et grillée séparément. Cette portion est déjà coupée dans les côtes de style St-Louis.

À moins qu'elle ne soit enlevée par un boucher, toutes les côtes de porc ont une membrane robuste à l'intérieur du côté osseux. Insérez la pointe d'un couteau coupant sous la membrane à côté de l'os ; faites-la osciller pour la dégager. Saisissez la membrane, utilisez un papier essuie-tout pour améliorer votre prise, et tirez-la du carré de côtes.

2. Assaisonnez-les au goût.
Il n'est pas absolument nécessaire d'utiliser une pâte d'épice, mais si vous ne le faites pas, veillez à assaisonner les côtes avec du sel et du poivre.

3. Cuisez-les lentement.
Les côtes de porc requièrent une chaleur indirecte pour atteindre une certaine tendreté. (Voir page 16.) Celles-ci prendront au moins 1 h 30 à griller ; préparez-vous donc en conséquence. Si vous les faites griller au charbon de bois, vous devrez ajouter du charbon en cours de route.

Conseils sur les côtes

• Un carré de côtes levées servira de deux à quatre personnes. Un carré de petites côtes levées de dos suffira pour 1 ou 2 personnes.

• Pour faire cuire plusieurs carrés de côtes à la fois, investissez dans un support pour côtes.

• Donnez une saveur fumée à vos côtes en trempant des copeaux de bois et en les ajoutant au feu ou à un fumoir.

• Si vous n'avez pas le temps de préparer votre propre sauce barbecue, améliorez celle du commerce en ajoutant de la sauce piquante, de la fumée liquide, de l'ail frais ou du gingembre.

• Pour savoir quand les côtes sont prêtes, trouvez un bout d'os qui dépasse de la viande (environ 1/4 de pouce) et essayez de les séparer avec vos doigts.

• Pour que les portions soient faciles à manipuler, coupez les carrés de côtes en portions individuelles.

4. Soyez prudent avec la sauce.
Le sucre brûle très rapidement. Chaque sauce qui en contient (incluant presque toutes les sauces préparées) devrait être badigeonnée uniquement au cours des 15 dernières minutes de cuisson. Les « badigeons », traditionnellement utilisés pour la cuisson au barbecue dans le Sud, sont à base de vinaigre et peuvent être utilisés en tout temps. N'oubliez pas qu'il y a de nombreuses autres options que la sauce barbecue à base de tomates.

Types et styles de côtes

Les petites côtes levées de dos (aussi appelées côtes de dos) : Ces côtes sont plus petites et moins grasses que les côtes levées. Elles sont aussi plus coûteuses.

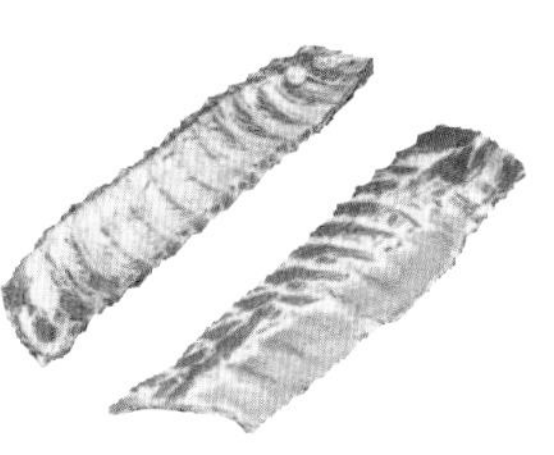

Côtes levées : Ces côtes sont plus grosses et plus longues que les petites côtes levées de dos. Elles doivent être cuites lentement pendant une longue période parce qu'elles peuvent être coriaces. Ce qui n'empêche pas les grands amateurs de côtes levées d'affirmer qu'elles sont plus savoureuses.

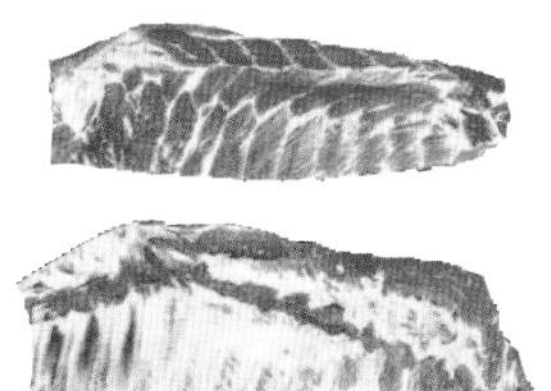

Côtes levées St-Louis : Ces côtes levées ont été découpées à partir de la bande de viande et de cartilage, le long du carré de côte.

Côtes levées de style campagnard : Ces côtes sont des côtelettes de porc individuelles coupées dans l'épaule. L'os de ces côtes fait partie de l'omoplate. Les côtes de style campagnard sont grosses et contiennent beaucoup de viande, mais sont un peu difficiles à manger parce que l'os et le gras traversent la viande.

Qu'est-ce que « jerk » signifie ?

C'est une sauce barbecue jamaïcaine, mais c'est bien plus. C'est un mélange d'assaisonnements, une sauce, une marinade, une méthode de cuisson et, en Jamaïque, c'est un mode de vie. Il existe plusieurs versions de l'assaisonnement « jerk ». La plupart contiennent toutefois du piment de Cayenne, du thym, du piment de la Jamaïque, de l'ail et de l'oignon.

Côtelettes, rôtis et plus

Le porc peut être assaisonné de centaines de façons. Il remporte d'ailleurs la médaille d'or chez les adeptes du barbecue du Mexique au Viêt-nam. (Consultez dans l'index les recettes de « Côtelettes de porc cubaines à l'ail et à la lime », de « Saté de porc javanais » et bien d'autres.)

Le porc que l'on nous vend de nos jours est beaucoup plus maigre qu'avant.

(Une côtelette de porc sans os coupée dans le centre contient moins de gras qu'une poitrine de poulet sans peau !) La bonne nouvelle est que la côtelette est faible en gras ; la mauvaise nouvelle est que la viande maigre devient sèche et dure très rapidement. Heureusement, le porc aime beaucoup les marinades et les saumures qui peuvent ajouter de l'humidité. Le vrai secret est de ne pas trop les faire cuire : une température interne de 160 °F est sécuritaire et certaines coupes, comme les filets de porc, peuvent rester légèrement rosées à l'intérieur.

Côtelettes de porc (longe ou côte) : Épaisses ou minces, avec os ou papillon, les côtelettes de porc cuisent rapidement sur une chaleur directe. Les côtelettes de $^{3}/_{4}$ de pouce cuisent en seulement 8 à 10 minutes. Ne les laissez pas sans surveillance.

Rôtis de longe de porc et de filet de porc : L'une ou l'autre de ces coupes de porc est idéale pour les kebabs et les satés. Les gros rôtis entiers doivent être cuits grâce à une chaleur indirecte. (Voir page 16.) Les filets de porc sont petits et suffisamment minces pour cuire sur une chaleur directe. Ils sont avantagés par une marinade et sont si maigres qu'ils peuvent facilement être trop cuits. Il est préférable de retirer un filet du barbecue lorsqu'il atteint une température interne de 155 °F et de le laisser reposer pendant quelques minutes ; la température atteindra 160 °F.

Des saucisses sur le gril

C'est l'été et cuisiner est facile : vous n'avez qu'à lancer quelques saucisses sur le barbecue. Même si vous n'avez jamais eu de barbecue, vous avez probablement déjà fait cuire un hot-dog sur le feu et avez observé la transformation qui s'opère. Les saucisses (même celles des hot-dogs) deviennent presque un mets de gourmet lorsque grillées sur le feu. Il existe probablement autant de variétés de saucisses que d'amateurs de saucisses. Pourtant, elles sont divisées en deux catégories :

Attention aux saucisses explosives !

Si une saucisse est chauffée trop rapidement, la vapeur peut s'accumuler à l'intérieur de la membrane. La vapeur peut faire rompre la membrane ou, pire encore, la faire exploser comme un ballon trop gonflé rempli de viande (ce n'est pas très joli à voir). La solution est de fournir une valve de purge en piquant la saucisse avant de la faire cuire. Ne faites pas de trop gros trous, sinon vous perdrez trop de jus.

Saucisses cuites : Les hot-dogs sont les mieux connus dans cette catégorie qui compte la plupart des saucisses fumées. Les saucisses Bratwurst sont offertes en versions précuites et crues, tout comme plusieurs autres variétés. Consultez l'emballage. Ces saucisses précuites sont faciles à faire cuire au barbecue : faites-les chauffer et mangez !

Saucisses crues ou fraîches : Les saucisses Bratwurst, les saucisses italiennes et les saucisses kolbassa (polonaises) sont souvent vendues crues. Ces saucisses exigent une manipulation spéciale pour des raisons de sécurité alimentaire. Elles devraient être gardées séparées des aliments cuits et ont besoin d'être bien cuites (160 °F). Vous pouvez les faire cuire au barbecue, mais il est alors facile de faire brûler l'extérieur avant que l'intérieur ne soit cuit. La façon la plus facile de les faire cuire est de les faire d'abord pocher ou braiser dans la bière (ou un autre liquide savoureux), puis de les faire brunir sur le barbecue.

PORC – Tableau des temps et des températures

COUPE	TEMPS DE CUISSON APPROXIMATIF	TEMP. INTÉRIEURE
Côtes	1 h 30 à 2 h	170 °F
Côtelettes et steaks	4 à 6 minutes par côté pour une cuisson moyenne	160 °F
	6 à 8 minutes par côté pour une viande bien cuite	170 °F
Rôti de filet de porc (1 ½ livre)	12 à 16 minutes pour une cuisson moyenne	160 °F
Saucisses	16 à 20 minutes	160 °F -170 °F

L'agneau

L'agneau est une viande que l'on adore faire griller aux quatre coins du globe. Ce n'est pas surprenant : la saveur entière et riche de l'agneau peut recevoir une étreinte de fumée ou de flammes comme aucune autre. La cuisson au gril attendrit et adoucit la saveur de l'agneau. C'est donc dire que même ceux qui pensent ne pas aimer l'agneau risquent de s'y convertir après la première bouchée. Il est étonnamment facile de le faire griller puisque son contenu élevé en gras le garde humide et juteux.

Agneau haché : Un hamburger d'agneau est riche, juteux et savoureux. Comme les autres viandes grillées, l'agneau haché doit atteindre une température interne de 160 °F, pour des raisons de sécurité.

Côtelettes d'agneau : Les côtelettes ou les tranches de longe grilleront à la perfection sur une chaleur directe, en quelques minutes seulement. Assurez-vous de découper le surplus de gras avant de les faire griller afin d'éviter les « enflammées ».

Grosses pièces d'agneau désossées : Vous pouvez acheter de l'agneau précoupé pour les kebabs ou couper vos propres morceaux pour brochettes à partir d'une cuisse ou d'un steak d'agneau.

Gigot d'agneau : Vous pensez que la préparation d'un gigot d'agneau sur le barbecue est difficile ? Vous serez agréablement surpris puisque la cuisson au gril d'un gigot d'agneau papillon et désossé est relativement simple et ne prend qu'une trentaine de minutes. (Consultez l'index pour trouver une recette facile intitulée « Gigot d'agneau en croûte de romarin ».) Un gigot d'agneau avec os est aussi délicieux grillé, mais il sera plus long à apprêter puisqu'il devra être cuit sur une chaleur indirecte. (Voir page 16.)
Le gigot d'agneau est souvent vendu en deux morceaux : la portion surlonge, ou coupe centrale, et la portion flanc (la partie de laquelle l'os dépasse).

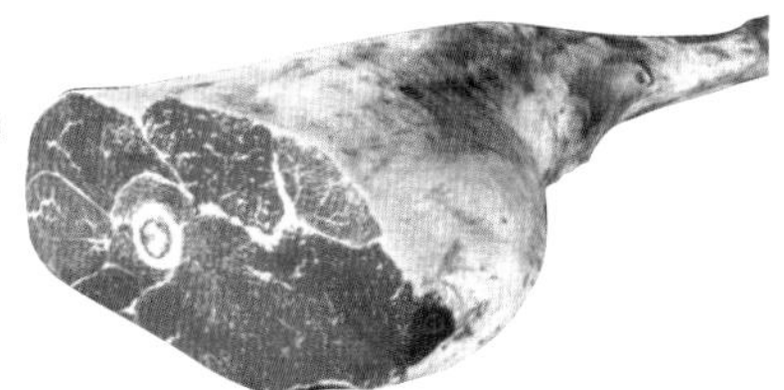

AGNEAU – Tableau des temps et des températures

COUPE	TEMPS DE CUISSON APPROXIMATIF	TEMP. INTÉRIEURE
Hamburgers d'agneau	10 à 15 minutes	160 °F
Côtelettes (1 po d'épaisseur)	2 à 4 minutes par côté pour une cuisson saignante	140 °F
	4 à 6 minutes par côté pour une cuisson rosé	160 °F
	6 à 8 minutes par côté pour un bifteck bien cuit	170 °F
Gigot papillon désossé	30 à 45 minutes	160 °F
Gigot avec os (6 à 8 livres)	2 h à 2 h 30 (chaleur indirecte)	160 °F

Les volailles

Rien n'est plus appétissant qu'une dinde ou un poulet parfaitement grillé avec une peau croustillante et un intérieur juteux à souhait. Ce n'est pourtant pas donné à tout le monde d'atteindre la perfection. Nous avons tous déjà goûté à une poitrine de poulet trop grillée ou à des cuisses de poulet encore crues près de l'os. Voici quelques conseils pour obtenir les volailles les plus appétissantes qui soient.

1. Trop cuire et ne pas assez cuire.
Il est important d'être très conscient de la sécurité alimentaire lorsque vous travaillez avec de la volaille et de vous assurer qu'elle est toujours cuite à une température interne de 180 °F (170 °F pour les poitrines de volaille). Investissez dans un thermomètre à lecture instantanée et stoppez la cuisson lorsque vous atteignez une température sécuritaire. « Quelques minutes de plus » peuvent transformer une viande parfaitement cuite en semelle de botte.

2. Trop de manipulation.
Il n'est pas nécessaire de tourner les morceaux de poulet plus d'une fois. Plus vous ouvrez le couvercle du barbecue souvent, plus vous abaissez la température et augmentez le temps de cuisson. Percer les morceaux de poulet avec une fourchette pour les retourner laisse le jus s'échapper; tournez-les plutôt à l'aide de pinces.

3. Temps de cuisson.
La viande blanche cuit beaucoup plus rapidement que la brune. Par contre, deux morceaux de taille différente ne prendront pas le même temps à cuire. Vous devez les surveiller étroitement et retirer les morceaux au fur et à mesure qu'ils sont prêts.

4. Sécurité alimentaire.
La volaille peut être porteuse de salmonelle, une bactérie parmi d'autres. Soyez donc particulièrement attentif aux règles de sécurité. Lavez vos mains et toutes les planches à découper, couteaux et autre équipement venant en contact avec la volaille crue. N'utilisez jamais l'assiette ou le plateau que vous avez utilisé pour apporter la volaille crue au barbecue pour ensuite transporter la volaille cuite. (Consultez les pages 21 et 22 pour connaître les précautions supplémentaires.)

5. « Enflammées ».
La peau grasse de la volaille peut facilement causer des « enflammées ». (Bien sûr, elle préserve aussi l'humidité de la bête : il est donc préférable de la faire griller avec la peau et de l'enlever après la cuisson si vous surveillez votre consommation de gras.) Découpez seulement le surplus de gras avant la cuisson au gril et déplacez l'aliment dans une zone à faible chaleur, au besoin. Lubrifiez la grille une fois préchauffée pour que la peau de la volaille n'y colle pas; retirez le surplus de marinade avant de placer la volaille sur la grille.

Tous les types de volaille (en fait chaque oiseau) sont légèrement différents. Presque toutes les volailles seront avantagées par la marinade. Toutefois, toute marinade qui a été en contact avec l'oiseau cru doit être jetée avant la cuisson au gril. Dans la plupart des cas, la volaille devrait être cuite à une chaleur moyenne à moyenne-élevée; à une température plus élevée, elle risque de sécher. Lisez attentivement la recette que vous préparez puisque plusieurs variables influencent les températures et les temps de cuisson.

Poitrines de poulet désossées sans peau: Probablement la partie la plus appréciée, les poitrines sont rapides à cuire et délicieuses sur le gril, mais les poitrines de poulet désossées sans peau cuisent très rapidement. Malheureusement, il est presque impossible d'utiliser un thermomètre à lecture instantanée pour un morceau de viande si mince. La solution est de ne pas le faire trop cuire et de prendre un morceau puis de le couper pour vérifier son degré de cuisson. Il ne faut que de 12 à 15 minutes au total pour faire cuire une poitrine moyenne.

Parties du poulet avec os: Ces parties peuvent constituer un défi à faire cuire puisque la viande plus foncée prend plus de temps à cuire que la viande blanche. Soyez prêt à déplacer les morceaux de poulet si les flammes s'emportent. (Cela risque tout particulièrement de se produire lorsque vous faites griller le côté avec la peau.) Ne tentez pas de faire griller le poulet à une température trop élevée. Vous vous retrouverez avec une viande à la peau calcinée et à l'intérieur cru. Faites plutôt griller la peau du poulet à température élevée à la fin, soit pendant les 5 dernières minutes de cuisson.

Poulet entier ou demi-poulet: Tout ce dont vous avez besoin dans ce cas est d'une chaleur moyenne et d'un bac récepteur. (Voir page 16.) La cuisson durera une heure ou plus, mais l'attente vaudra la peine puisque vous obtiendrez un poulet succulent et très savoureux. Un demi-poulet est tout aussi délicieux, et il cuit plus rapidement. Essayez d'ajouter une pâte d'assaisonnements sous la peau pour obtenir une chair encore plus savoureuse. Utilisez un thermomètre pour déterminer le degré de cuisson et veillez à ne pas toucher l'os.

Le truc de la brique

Emballez une brique relativement propre dans du papier d'aluminium robuste et utilisez-la comme poids pour la cuisson au gril. Placé sur un poulet coupé ou sur un poulet de Cornouailles papillon, le poids de la brique écrase la bête qui cuit plus uniformément, et cela contribue de plus à créer des marques de grilles.

Dinde ou poulet haché: Les hamburgers de volaille adorent les assaisonnements piquants. Essayez-les avec des assaisonnements asiatiques ou mexicains.

Dinde entière: Dès que vous aurez goûté à la dinde grillée, vous attendrez Noël avec impatience. Assurez-vous que l'oiseau que vous achetez est suffisamment petit pour ne pas être à l'étroit, une fois le couvercle du barbecue fermé (environ 1 pouce d'espace). Pour des raisons de sécurité, vous ne devriez pas faire griller une dinde de plus de 16 livres. (Les plus gros oiseaux prennent trop de temps pour atteindre une température interne qui

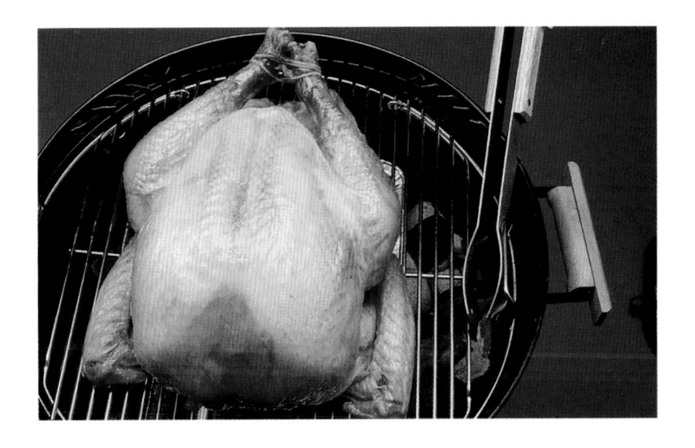

détruira les bactéries nocives.) Pour des raisons de sécurité alimentaire également, il est préférable de ne pas farcir une dinde grillée au barbecue.

Une fois le feu indirect préparé, la cuisson se fera presque toute seule, et votre four sera libre pour cuire tout le reste. (Voir page 16.) Vous aurez besoin de suffisamment de gaz ou de charbon de bois pour garder votre barbecue à une chaleur indirecte moyenne et stable pendant 3 h 30 ou plus, dépendant de la grosseur de la dinde.

Poitrine de dinde ou rôti de filet de dinde: Ces plus petites coupes sont un excellent moyen d'apprécier un repas de dinde sans que celui-ci ne soit pour autant compliqué à préparer. Les rôtis peuvent être achetés avec l'os ou roulés, entiers ou en moitiés. La portion du filet est un morceau mince et tendre de viande de poitrine. C'est parfait pour faire des brochettes de dinde ou pour griller et ensuite trancher en sandwichs.

Poulet de Cornouailles: Ces petits poulets pèsent moins de 2,5 livres chacun. Ils peuvent être cuits de la même façon que le poulet, mais sont particulièrement attrayants lorsqu'ils sont grillés à plat en papillon. Consultez l'index pour trouver la recette de « Poulets de Cornouailles papillon ».

VOLAILLE – Tableau des temps et des températures

COUPE	TEMPS DE CUISSON APPROXIMATIF	TEMP. INTÉRIEURE
Poulet		
Poitrine désossée	4 à 6 minutes par côté	170 °F
Poitrine avec os	10 à 15 minutes par côté	170 °F
Cuisses et hauts de cuisses	10 à 15 minutes par côté	180 °F
Pilons	8 à 12 minutes par côté	180 °F
Ailes	8 à 12 minutes par côté	jusqu'à ce que la chair ne soit plus rosée près de l'os
Poulet entier	15 à 20 minutes par livre (chaleur indirecte)	180 °F (mesurée au haut de la cuisse)
Dinde		
Hamburger de dinde (½ po d'épaisseur)	4 à 6 minutes par côté	165 °F
Demi-poitrine avec os (2 livres)	1 h à 1 h 30 (chaleur indirecte)	170 °F
Dinde entière (non farcie)	20 à 25 minutes par livre	180 °F (mesurée au haut de la cuisse)

Les poissons et fruits de mer

Manquez-vous de confiance lorsque vient le temps de faire griller des fruits de mer? Les adeptes les plus accomplis du barbecue qui retournent biftecks, côtelettes et poulets sans hésiter sont souvent démunis devant les créatures de la mer. (Insérez ici la trame sonore du film *Les Dents de la mer...*) En vérité, il est très facile de faire griller des fruits de mer. La crainte qui y est liée vient probablement de deux faits incontestables: les fruits de mer sont à la fois délicats et coûteux. Ils sont aussi parfaitement délicieux. Alors, tirez profit de ces trucs simples et plongez.

1. Choisissez la bonne variété de poisson et le bon morceau.

Presque tous les poissons peuvent être grillés, mais certaines espèces comme la sole cuisent tellement rapidement et sont si délicates qu'elles ne sont pas un bon choix. L'autre choix à faire est celui de la coupe — une darne ou un filet. Une darne de poisson est une coupe transversale qui comprend normalement un morceau de colonne vertébrale. C'est la coupe la plus facile à faire cuire au gril puisqu'elle est épaisse et compacte, et moins susceptible de se défaire comme un filet. Bien sûr, plusieurs espèces savoureuses de poisson ne sont pas disponibles en darnes puisqu'elles sont trop petites pour être coupées de cette façon. Les filets ont l'avantage d'être normalement moins osseux et plus faciles à manger. Si vous faites griller des filets, le panier pour poisson ou légumes est recommandé.

2. Ne retournez pas le poisson trop rapidement.

Si vous placez le poisson sur une grille huilée et préchauffée (et propre!), vous saurez qu'il est temps de le retourner lorsqu'il se détachera naturellement de la grille. C'est habituellement après 5 à 7 minutes. Glissez votre spatule sous un coin et tentez de soulever le poisson. Si le poisson colle, attendez une minute avant de réessayer.

La première et dernière règle pour faire griller les fruits de mer: Évitez de trop cuire

Comment dire si votre poisson est assez cuit? Piquez-le. Prenez un couteau et séparez doucement la chair dans la partie la plus épaisse, juste assez pour voir toute l'épaisseur. La chair devrait être uniformément opaque. (Si vous faites griller jusqu'à ce que le poisson soit floconneux, il sera sec.)

3. Ne cuisez pas le poisson trop longtemps.

C'est le plus grand péché de la cuisson au gril du poisson. Consultez l'encadré pour savoir comment déterminer le degré de cuisson. Règle d'or: le temps de cuisson du poisson est d'environ 10 minutes par pouce d'épaisseur (mesurée dans la partie la plus épaisse du poisson). Si vous attendez que le poisson soit floconneux comme l'indiquent certains livres, vous mangerez un poisson trop cuit et vous aurez de la difficulté à le décoller de la grille en un morceau.

4. Trichez si nécessaire.
Si la peau du poisson colle à la grille ou si votre filet se sépare en une douzaine de morceaux, ne vous découragez pas. Nappez-le de salsa, de sauce ou de chutney et personne ne remarquera quoi que ce soit. Vous pouvez aussi faire griller le poisson dans des papillotes d'aluminium, ce qui élimine entièrement le risque de collage. La méthode papillote permet de cuire le poisson à la vapeur et produit une saveur différente mais aussi savoureuse.

Saumon : En darne ou en filet, le saumon est le poisson préféré de l'Amérique, et ce n'est pas sans raison. Sa saveur riche est parfaite lorsque rehaussée par une touche de fumée du barbecue. La saveur imposante du saumon peut survivre à des assaisonnements piquants, sucrés ou fumés.

Thon : Tout comme le saumon, il s'agit d'un poisson relativement gras (le gras sain de type oméga-3 que l'on recherche), il va donc très bien sur le gril. Il n'est disponible qu'en darne. Le thon est souvent servi saisi à l'extérieur et cru à l'intérieur puisqu'il devient coriace et qu'il perd sa saveur lorsqu'il est cuit trop longtemps. Si vous préférez votre poisson bien cuit, choisissez une darne plus mince (½ po).

Espadon : Excellent choix pour le gril, l'espadon est normalement vendu en darne. Sa chair ferme s'accommode bien des marinades et se marie bien avec une salsa ou un chutney. L'espadon est aussi suffisamment ferme pour être enfilé en brochette.

Flétan : Le flétan est un poisson blanc ferme généralement vendu en filets. C'est un bon candidat au gril, mais il est plus maigre et délicat que l'espadon ou le saumon.

Mahi-mahi, vivaneau et bar : Ces poissons à chair blanche ferme sont vendus en filets ou en darnes et peuvent être remplacés les uns par les autres dans la plupart des recettes. Tous ces poissons ont un goût délicat et préfèrent une marinade rapide et un assaisonnement zesté.

Barbue de rivière et truite : Ces poissons sont souvent élevés en pisciculture et sont donc à un prix très abordable. Les filets peuvent se briser assez facilement lorsque vous tentez de les tourner, mais sont généralement juste assez minces pour cuire sans être retournés. Croyez-le ou non, une petite truite ou une barbue entière est plus facile à manipuler. Un poisson entier conviendra à une ou deux personnes. Vous n'avez qu'à farcir la cavité avec des tranches de citron ou des herbes fraîches et à utiliser un panier à poisson pour faciliter la cuisson au gril.

Mollusques et crustacés (crevettes, homard et pétoncles) : La même règle élémentaire s'applique à la cuisson des mollusques et crustacés : ne les faites pas trop cuire. Les crevettes sont bien cuites lorsqu'elles deviennent uniformément roses. Le homard et les pétoncles ne devraient être cuits que jusqu'à ce que l'intérieur soit opaque. Soyez tout particulièrement prudent avec les pétoncles qui cuisent très rapidement et qui deviennent caoutchouteux en quelques secondes.

Leçon de pêche pour débutant

1. Commencez avec un poisson facile à faire griller (pas un filet) comme l'espadon ou le thon.

2. Utilisez un panier à légumes ou à poisson pour empêcher le poisson d'adhérer à la grille.

3. Faites-le griller sur une grille propre.

4. Huilez la grille (ou le panier) ainsi que le poisson tout juste avant de commencer la cuisson.

5. Ne retournez pas le poisson trop rapidement. Il se décollera naturellement lorsqu'il sera temps de le retourner.

Les légumes

Pourquoi réserver la magnifique saveur ajoutée par la fumée au plat principal seulement ? La cuisson au gril peut transformer des légumes en apparence très ordinaires. La chaleur directe concentre les saveurs en faisant sortir l'eau. Les sucres végétaux naturels caramélisent alors. Le résultat sera épatant : la cuisson au gril fera ressortir les atouts de chaque légume. Les patates sucrées deviennent plus sucrées, les champignons plus goûteux. Encore plus, vous évitez de laisser la viande griller dehors pendant que vous courez à l'intérieur vous occuper de vos légumes d'accompagnement. Pourquoi vous compliquer la vie alors que TOUT est meilleur sur le gril ?

Tant de légumes, autant de façons de les faire griller

La plupart des légumes cuisent rapidement et facilement sur une chaleur directe moyenne (à l'exception des légumes-racines et des autres gros légumes denses). Les légumes ont besoin d'un peu d'huile pour ne pas coller à la grille et pour maximiser les saveurs. Facilitez votre tâche en coupant les morceaux à la même taille. Vous pouvez aussi contribuer à uniformiser les temps de cuisson en coupant les légumes cuisant le plus lentement en plus petits morceaux ou en commençant leur cuisson au micro-ondes. Peu importe la méthode choisie, vous n'aurez pas de difficulté à convaincre quiconque de manger ses légumes une fois sortis bien chauds du barbecue.

Asperges : Tout à fait délicieuses au barbecue, il faut essayer les asperges ! Cassez les extrémités dures, puis badigeonnez-les d'huile d'olive et ajoutez sel et poivre. Faites-les rouler sur la grille à l'aide de pinces à la moitié du temps de cuisson (6 à 8 minutes de cuisson). Déposez les asperges sur la grille de façon perpendiculaire pour ne pas les perdre dans le feu !

Poivrons : Tous les poivrons, peu importe leur couleur et leur variété, peuvent être grillés entiers ou en morceaux. Si vous souhaitez les peler, retirez-les du feu lorsque la peau noircit et déposez-les dans un sac de papier fermé ou un récipient qui se ferme pendant environ 3 minutes. Vous pourrez alors retirer facilement la peau carbonisée. Un poivron entier de taille moyenne calcinera en 12 minutes environ. Les tranches de poivron seront prêtes en 6 à 8 minutes et ne doivent être tournées qu'une fois.

Maïs : Il existe plusieurs façons de faire griller le maïs en épis et toutes conviennent parfaitement.

- **En chemise :** Pelez les feuilles (sans les détacher) si vous souhaitez retirer les « cheveux » du maïs. Trempez le maïs avec ses feuilles l'entourant pendant 30 minutes dans l'eau froide. Faites-le griller de 25 à 30 minutes, en faisant rouler les épis avec des pinces jusqu'à ce que les feuilles soient carbonisées. Servez en chemise et laissez chaque convive peler son maïs et utiliser les feuilles toujours attachées comme poignée.
- **Dépouillé :** Faites cuire les épis dépouillés sur une chaleur directe pendant 10 à 12 minutes en les faisant rouler sur la grille pour que tous les côtés brunissent. Badigeonnez de beurre fondu pendant la cuisson. Ajoutez sel, poivre, jus de lime ou piment de Cayenne au beurre fondu pour ajouter du mordant.

Aubergines : Les aubergines existent en plusieurs formes, tailles et couleurs. La méthode de cuisson dépend donc du type d'aubergine et de la façon dont vous souhaitez la servir. Coupez les aubergines sur la largeur en tranches de 1/2 pouce d'épaisseur et cuisez pendant environ 5 minutes par côté. Les petites aubergines asiatiques peuvent être coupées en moitiés sur la longueur et être grillées pendant environ 12 minutes. Si vous souhaitez faire une trempette ou une purée d'aubergines, laissez le légume entier et faites griller jusqu'à ce que la peau soit carbonisée (20 à 30 minutes), puis pelez la peau carbonisée et écrasez la chair.

Ail : Doux et butyreux, l'ail grillé est un accompagnement surprenant à une variété d'aliments, de la baguette à la pizza. Retirez la peau papyracée et coupez le haut de la tête pour exposer les gousses. Vaporisez ou badigeonnez l'ail d'un peu d'huile d'olive et enrobez-le dans du papier d'aluminium. Faites griller sur une chaleur indirecte moyenne pendant 30 à 40 minutes ou jusqu'à ce que l'ail soit ramolli. (Vous pouvez le déposer sur un coin de grille pendant que vous faites cuire tout le reste.)

Champignons : Les portobellos grillés font un accompagnement délicieux ou encore un excellent plat principal végétarien. Huilez ou marinez-les puis faites-les griller, d'abord à l'envers, puis à l'endroit. Ils cuiront en un maximum de 12 à 15 minutes, selon la taille des champignons. Les petits champignons, comme les champignons de Paris ou les champignons café, devraient être enfilés sur des brochettes.

Oignons : Les oignons tranchés révèlent leur petit côté sucré lorsqu'ils sont grillés. Faites cuire des tranches de 1/2 pouce d'épaisseur pendant environ

10 minutes. Pour empêcher les rondelles de se séparer, enfilez-les à l'horizontale sur une brochette avant de les faire griller.

Pommes de terre:

- **Pommes de terre nouvelles:** Mêlez les petites pommes de terre à du beurre fondu ou de l'huile et des assaisonnements. Si certaines sont plus grosses, coupez-les en moitiés ou en quarts. Vous pouvez les faire cuire dans un panier ou faire des brochettes de pommes de terre. Les papillotes peuvent aussi être remplies de pommes de terre et d'herbes.
- **Pommes de terre Russet, Yukon Gold ou rouges:** Pour faire cuire de grosses pommes de terre au barbecue, essayez d'abord de les faire cuire au micro-ondes pendant plusieurs minutes. Terminer la cuisson au gril ajoutera une saveur fumée en un minimum de temps. Les pommes de terre peuvent aussi être coupées en quartiers ou en rondelles et grillées pendant 10 à 20 minutes.

Courge (zucchini ou jaune): Les petites courges peuvent être coupées en deux, les plus grandes peuvent être coupées en longueur ou en largeur en tranches de 1/2 pouce d'épaisseur. Huilez et assaisonnez avant de les faire griller pendant environ 8 minutes sur une chaleur directe. Les morceaux de courge sont aussi excellents en brochettes.

Patates sucrées: La richesse fumée des patates sucrées grillées est une réelle révélation. Pour faire cuire les patates entières, faites-les cuire au micro-ondes pendant 2 à 3 minutes et terminez au barbecue. Elles sont bien cuites lorsqu'elles cèdent sous une légère pression. Comprimez-les avec votre main protégée d'un gant de cuisine. Les patates sucrées en tranches sont également délicieuses. Coupez-les tout simplement en tranches de 1/2 pouce d'épaisseur et faites-les griller jusqu'à tendreté. Inutile de les peler avant la cuisson.

Tomates: Goûtez aux tomates grillées sur le feu et vous regretterez de ne pas les avoir essayées avant. Les petites tomates ou les tomates oblongues peuvent être grillées entières, sur broche ou dans un panier. Elles seront prêtes en 10 minutes environ. Les tomates plus grosses peuvent être coupées en deux et grillées avec la peau. Les tomates sont prêtes lorsque la pelure est cloquée et noircie par endroits. Retirez-les délicatement de la grille puisqu'elles peuvent se défaire; utilisez donc une spatule et non des pinces.

Les marinades, pâtes, croûtes et sauces

La fumée et le feu donnent des saveurs incomparables aux aliments grillés. Les saveurs merveilleuses que l'on peut créer avec des assaisonnements, des marinades, des croûtes, des pâtes et des sauces ajoutent une quantité innombrable de délices au répertoire de la cuisson au gril. Il existe des centaines de marques de sauce barbecue en vente dans le commerce. (Il existe même un club de la sauce barbecue du mois.) De nombreuses marinades et pâtes d'assaisonnement destinées à la cuisson au gril sont aussi disponibles. Plusieurs de ces produits déjà cuisinés sont excellents. Même si vous utilisez uniquement les produits du commerce, il est important de bien comprendre ce que contiennent ces sauces et comment les utiliser.

Marinade balsamique

Pour 1 tasse de marinade

- 2 livres de bœuf, porc, agneau ou veau
- ½ tasse d'huile d'olive
- ½ tasse de vinaigre balsamique
- 2 gousses d'ail émincées
- 1 cuillère à thé d'origan séché
- ½ cuillère à thé de sel
- ½ cuillère à thé de marjolaine séchée
- ¼ cuillère à thé de poivre fraîchement moulu

Déposez la viande dans un plat en verre peu profond. Dans un petit bol, mélangez le reste des ingrédients. Versez la marinade sur la viande en utilisant environ ½ tasse pour chaque livre de viande. Retournez la viande pour enduire les deux côtés. Couvrez ; marinez pendant plusieurs heures ou jusqu'au lendemain, en tournant la viande de temps à autre. Retirez la viande ; faites bouillir la marinade pendant 1 minute. Faites griller la viande en la badigeonnant souvent de marinade.

1. Il y a deux éléments de base que vous ne pouvez oublier lorsque vous cuisez au gril.

Le sel et le poivre sont des ingrédients tellement évidents qu'il est facile de sous-estimer leur importance. Vous pouvez bien sûr utiliser votre salière et poivrière de table pour assaisonner les aliments destinés au barbecue, mais il y a mieux. Plutôt que le sel de table iodé, essayez le sel kasher. Les cristaux plus gros et plus plats collent mieux à la nourriture et n'ont pas d'arrière-goût d'additif utilisé dans le sel régulier. Un moulin à poivre vous donnera non seulement du poivre fraîchement moulu, mais aussi un choix de moutures, de très grosse à très fine. Cela peut faire une grande différence de saveur dans un assaisonnement en pâte ou sur un bifteck. N'oubliez pas de noter le contenu en sel des assaisonnements ou marinades préparés que vous utilisez et ajoutez ensuite du sel en conséquence.

Croûte à l'ail et au romarin

Pour 4 portions

2	cuillères à table de romarin fraîchement haché
1 ½	cuillère à thé de sel assaisonné
1	cuillère à thé de poivre aromatisé à l'ail
½	cuillère à thé de poudre d'ail avec persil
1	livre de bifteck de bœuf de haut de surlonge
1	cuillère à table d'huile d'olive

Dans un petit bol, combinez le romarin, le sel assaisonné, le poivre à l'ail et la poudre d'ail avec persil. Mélangez bien. Badigeonnez les deux côtés du bifteck avec de l'huile. Saupoudrez le mélange d'herbes et écrasez-le sur le bifteck. Faites griller pendant 15 à 20 minutes ou jusqu'à la cuisson désirée et retournez une fois à la mi-cuisson.

Idée-repas : Servez avec des pommes de terre au four, ou des frites, et des carottes glacées au miel.

Astuce : Ce mélange d'épices convient très bien au porc et à l'agneau.

2. Une petite trempette dans une marinade peut tout changer.

Aucune autre méthode d'assaisonnement n'est aussi facile à utiliser qu'une marinade. La plupart des marinades contiennent un ingrédient acide (jus de citron, vin) pour attendrir et une huile pour ajouter humidité et saveur. En fait, presque toutes les vinaigrettes sont à la base une marinade et peuvent être utilisées comme tel.

Tableau des ingrédients de marinades

Choisissez un ou plusieurs ingrédients de chaque catégorie afin de créer votre propre marinade pour le gril.

INGRÉDIENTS ACIDES
- jus de citron ou de lime
- jus d'orange
- vinaigre
- vin
- yogourt

HUILES
- huile d'olive
- huile de canola
- huiles aromatisées (basilic, ail, etc.)
- huile de sésame
- huile d'arachide

INGRÉDIENTS D'ASSAISONNEMENT
- cassonade
- sauce chili
- gingembre frais
- ail
- fines herbes, fraîches ou séchées
- miel
- sauce piquante
- moutarde
- oignons ou oignons verts
- sauce soya
- épices
- sauce Worcestershire

3. Marinez de la façon la plus simple.

Les sacs de rangement hermétiques en plastique sont parfaits pour mariner. Placez les aliments dans le sac, versez la marinade, éliminez l'air, refermez et réfrigérez. Déposez le sac dans une assiette, au réfrigérateur, en cas de fuite. Vous pouvez aussi mariner dans un plat en verre ou dans un autre plat non réactif. Recouvrez-le le plus hermétiquement possible pour garder le maximum d'air à l'extérieur. N'utilisez jamais d'aluminium qui pourrait se décolorer et donner un goût de métal aux aliments. C'est une bonne idée de tourner les aliments une ou deux fois afin de bien répartir la marinade.

4. Marinez en toute sécurité.

(Voir page 22 pour plus de détails.) Il est préférable de ne pas conserver la marinade utilisée. Si vous souhaitez en utiliser comme sauce, réservez-en une partie avant de l'utiliser. Ne servez JAMAIS de marinade déjà utilisée comme sauce sans la faire bouillir au préalable pendant au moins 1 minute.

Quand on abuse des bonnes choses

Les ingrédients acides dans une marinade amolliront trop les aliments s'ils y marinent trop longtemps. Comment savoir si on a trop mariné? Cela dépend de la concentration de la marinade et du type d'aliment. Le poisson et les légumes ne devraient mariner que brièvement — moins de 30 minutes. Les grosses pièces de viande peuvent mariner toute la nuit. Les côtelettes ou les morceaux de poulet doivent mariner de 1 à 4 heures.

5. Assaisonnez de la bonne façon.

Une croûte sèche n'est rien de plus qu'un mélange d'épices et d'herbes. La bonne pâte ne fait pas qu'assaisonner, elle contribue à créer une croûte savoureuse autour de la viande ou de la volaille. Une croûte peut être faite de sel assaisonné ou d'un mélange de 20 épices. La plupart contiennent du sel, un élément sucré, des herbes et une touche de piquant.

Une croûte humide est aussi nommée pâte d'assaisonnement et contient de l'huile ou un autre ingrédient liquide.

Pour appliquer une pâte, massez-la dans la viande ou la volaille avec vos doigts. Vous pouvez aussi la tamponner ou l'arroser. Si possible, laissez la viande reposer au réfrigérateur pendant 30 à 60 minutes.

6. La sauce est maître.

Les Américains, selon leur provenance, n'auront pas la même version de ce qu'est la meilleure sauce barbecue. Au Texas, elle est à base de tomates et est très piquante. À Kansas City, elle est sucrée et fumée. En Caroline du Nord, la sauce barbecue préférée pour le porc est plutôt à base de vinaigre. Chaque sauce compte son ingrédient « secret » (café, soda au gingembre, chipotles, bière). Même si vous avez trouvé une sauce en bouteille que vous aimez, ajoutez-y une touche spéciale qui la rendra unique. (Une partie du plaisir consiste à refuser de révéler votre ingrédient secret.)

Il n'y a qu'une règle à respecter pour utiliser la sauce barbecue : attendre que les aliments soient presque cuits avant de badigeonner la sauce. Si vous commencez à badigeonner trop rapidement avec une sauce sucrée, elle carbonisera et perdra tout attrait. Attendez les 10 dernières minutes de cuisson et réservez une partie de la sauce pour servir à table.

Ajouts aux sauces barbecue du commerce

câpres
herbes fraîches
gingembre
sauce hoisin
raifort
sauce piquante
fumée liquide
moutarde
olives
marmelade d'oranges
sauce soya
café corsé
tomates séchées au soleil

Sauce barbecue sucrée et fumée

Pour environ 1 ½ tasse de sauce

- ½ tasse de ketchup
- ⅓ tasse de moutarde forte
- ⅓ tasse de mélasse légère
- ¼ tasse de sauce Worcestershire
- ¼ cuillère à thé de fumée liquide ou de sel hickory (facultatif)

Combinez tous les ingrédients dans un bol moyen. Mélangez bien. Badigeonnez le poulet ou les côtes pendant les 15 dernières minutes de cuisson.

Recettes

Vous trouverez dans les pages qui suivent des centaines d'idées qui alimenteront votre imagination. Plus de 170 recettes, y compris des classiques revisités, comme les côtes levées et les saucisses, ainsi que quelques détours exotiques comme « Côtelettes de porc cubaines à l'ail et à la lime » et « Poulet Tikka » (poulet grillé de style tandoori).

Chaque recette est facile à suivre et permet de tirer le meilleur parti des saveurs de la cuisine extérieure sur le gril. Les photos sont si appétissantes et les recettes si nombreuses que vous avez tout intérêt à vous munir d'une quantité appréciable de charbon de bois (ou de gaz propane) avant de commencer à les feuilleter. Vous pourrez donc, en fin de saison, reconnaître les recettes que vous avez préférées au nombre de gouttes de sauce que vous retrouverez sur chaque page du livre.

Hamburgers barbecue maison

1 ½ livre de bœuf haché
⅓ tasse de sauce barbecue
1 ou 2 tomates en tranches
1 oignon tranché
1 ou 2 cuillères à table d'huile d'olive
6 pains kaiser coupés en deux
Feuilles de laitue verte ou rouge

1. Préparez le barbecue pour une cuisson directe. Combinez, dans un grand bol, le bœuf haché et 2 cuillères à table de sauce barbecue. Façonnez 6 boulettes d'un pouce d'épaisseur.

2. Déposez les boulettes sur la grille. Faites griller, à feu couvert, de 8 à 10 minutes à une chaleur moyenne (ou à feu découvert de 13 à 15 minutes) ou jusqu'à ce que le centre des boulettes atteigne 160 °F, en tournant et en badigeonnant souvent avec le reste de sauce barbecue.

3. Pendant ce temps, badigeonnez les tranches de tomates et d'oignon* avec de l'huile. Déposez-les sur la grille. Faites griller les tranches de tomates de 2 à 3 minutes et les tranches d'oignon pendant 10 minutes.

4. Avant de servir, déposez les pains, le côté coupé vers le bas, sur la grille jusqu'à ce qu'ils soient légèrement grillés. Servez les boulettes sur les pains avec les tomates, les oignons et la laitue.

Pour 6 portions

**Les tranches d'oignon peuvent être cuites dans 2 cuillères à table d'huile dans une grande poêle à frire à une chaleur moyenne pendant 10 minutes jusqu'à ce qu'elles soient tendres et légèrement brunies.*

Hamburgers barbecue maison

Poulet grillé classique

1 poulet à frire entier* (3,5 livres) coupé en quarts
¼ tasse de jus de citron
¼ tasse d'huile d'olive
2 cuillères à table de sauce soya
2 grosses gousses d'ail émincées
½ cuillère à thé de sucre
½ cuillère à thé de cumin moulu
¼ cuillère à thé de poivre noir moulu

**Vous pouvez substituer au poulet entier les morceaux de poulet totalisant 3,5 livres, si désiré. Faites griller les cuisses et les hauts de cuisse pendant environ 35 minutes et les demi-poitrines pendant environ 25 minutes ou jusqu'à ce que le poulet ne soit plus rose au centre, en tournant les morceaux une fois.*

Rincez le poulet sous le robinet d'eau froide, tamponnez avec du papier essuie-tout. Répartissez les morceaux de poulet dans un plat de cuisson de 13 po sur 9 po sur 2 po. Combinez les ingrédients qui restent dans un petit bol ; versez la moitié du mélange sur le poulet. Recouvrez et réfrigérez pendant au moins 1 heure ou toute la nuit. Recouvrez et réservez le reste du mélange que vous utiliserez pour arroser le poulet au réfrigérateur. Retirez le poulet de la marinade ; jetez la marinade. Répartissez des briquettes moyennes de chaque côté d'un gros bac métallique rectangulaire. Versez de l'eau chaude dans le bac pour le remplir à moitié. Placez le poulet sur la grille, juste au-dessus du bac. Faites griller le poulet, la peau sur la grille, à feu couvert pendant 25 minutes. Arrosez avec le reste de marinade. Tournez le poulet, faites cuire de 20 à 25 minutes ou jusqu'à ce que le jus soit transparent et que le poulet ne soit plus rose au centre. *Pour 6 portions*

Selon le *Livre Guiness des records*, la plus grande participation à un barbecue fut de 44 158 personnes au Warwick Farm Racecourse à Sydney, en Australie, le 10 octobre 1993.

Poulet grillé classique

Savoureuses côtes grillées

4 livres de côtes de dos de porc
2 cuillères à table de paprika
2 cuillères à thé de basilic séché
½ cuillère à thé de poudre d'oignon
¼ cuillère à thé de poudre d'ail
¼ cuillère à thé de flocons de piment broyés
¼ cuillère à thé de poivre noir moulu
2 feuilles (24 x 18 po) de papier d'aluminium épais, légèrement vaporisées d'aérosol de cuisson antiadhésif
8 glaçons
1 tasse de sauce barbecue
½ tasse de confiture aux abricots

1. Préparez le barbecue pour une cuisson directe. Coupez les côtes en 4 à 6 morceaux.

2. Combinez le paprika, le basilic, la poudre d'oignon, la poudre d'ail, les flocons de piment broyés et le poivre noir dans un petit bol. Saupoudrez le mélange sur les côtes. Placez la moitié des côtes en une seule couche, au centre de chaque feuille d'aluminium. Placez 4 glaçons sur le dessus.

3. Repliez les côtés et les extrémités du papier pour sceller les emballages, tout en laissant un espace sur le dessus pour la circulation de la chaleur. Placez sur une plaque à pâtisserie. Mélangez la sauce barbecue et la confiture ; réservez.

4. Faites glisser les emballages de la plaque à la grille de cuisson. Faites griller à feu couvert sur des charbons de température moyenne pendant 45 à 60 minutes ou jusqu'à tendreté. Ouvrez délicatement chaque emballage pour laisser la vapeur s'échapper.

5. Transférez les côtes sur la grille de cuisson. Badigeonnez avec le mélange de sauce barbecue. Continuez de faire griller pendant 5 à 10 minutes en badigeonnant de sauce et en retournant souvent les côtes.

Donne 4 portions

Savoureuses côtes grillées

Fajitas

2 biftecks de hampe de bœuf (environ 1 livre chacun)
2 gousses d'ail
3 cuillères à table d'huile végétale
2 cuillères à table plus 1 ou 2 cuillères à thé de jus de lime
Pincée de poivre noir moulu
½ tasse d'oignon blanc haché finement
2 grosses tomates épépinées et coupées finement
2 petits poivrons verts grillés, pelés et coupés finement
2 cuillères à table de coriandre fraîche hachée finement
1 piment Serrano frais haché finement*
Tortillas à la farine d'un diamètre de 8 po (facultatif)

**Les piments de Cayenne peuvent brûler et irriter la peau ; portez des gants en caoutchouc lorsque vous manipulez les piments et ne vous touchez pas les yeux. Lavez vos mains après la manipulation.*

1. Placez les biftecks entre deux morceaux de pellicule plastique. Martelez avec le côté plat d'un maillet à viande pour obtenir une épaisseur de ¼ de po. Coupez chaque bifteck en morceaux de 6 po.

2. Écrasez une gousse d'ail avec un maillet à viande jusqu'à l'obtention de gros morceaux. Combinez l'ail et 2 cuillères à table d'huile, 2 cuillères à table de jus de lime et le poivre noir dans un grand plat de cuisson peu profond en verre. Ajoutez les biftecks, puis tournez-les pour les enrober de marinade. Laissez mariner au réfrigérateur pendant 30 minutes.

3. Pendant ce temps, préparez le barbecue pour une cuisson directe.**

4. Hachez finement l'autre gousse d'ail. Cuisez et remuez l'oignon et l'ail dans la dernière cuillère à table d'huile dans une poêle à frire moyenne, sur feu moyen, pendant 3 à 4 minutes jusqu'à ce que l'oignon ait ramolli. Retirez du feu.

5. Ajoutez, en mélangeant, les tomates, les poivrons, la coriandre et le piment. Assaisonnez au goût avec le jus de lime qui vous reste. Laissez reposer, couvert, à température ambiante.

6. Retirez les biftecks de la marinade ; tamponnez avec du papier essuie-tout. Jetez la marinade. Faites griller sur un feu moyen, à découvert, pendant 10 à 13 minutes pour obtenir une cuisson à point ou jusqu'à la cuisson désirée, en ne tournant les biftecks qu'une fois.

7. Si elles ne sont pas fraîches, faites ramollir et chauffer les tortillas. Servez les biftecks avec une relish à la tomate, des haricots frits et des tortillas, au goût. *Donne 4 portions*

***Les biftecks peuvent être cuits sur une plaque à frire ou dans une poêle à frire légèrement huilée et bien assaisonnée. Faites chauffer sur un feu moyen jusqu'à ce qu'il soit très chaud. Faites cuire les biftecks en une seule couche sur la plaque pendant 3 minutes pour une cuisson à point ou jusqu'au degré de cuisson désiré, en ne les retournant qu'une fois.*

Fajitas

Poulet piquant, épicé et collant

1 poulet (3½ à 4 livres) coupé
1 tasse de vinaigre de cidre
1 cuillère à table de sauce Worcestershire
1 cuillère à table de poudre de chili
1 cuillère à thé de sel
1 cuillère à thé de poivre noir
1 cuillère à thé de sauce piquante
¾ tasse de sauce barbecue

Placez le poulet dans un plat de cuisson peu profond en verre ou dans un grand sac de plastique hermétique. Combinez le vinaigre, la sauce Worcestershire, la poudre de chili, le sel, le poivre noir et la sauce piquante dans un petit bol ; versez sur les morceaux de poulet. Recouvrez le plat ou scellez le sac. Faites mariner au réfrigérateur pendant au moins 4 heures en retournant les morceaux à plusieurs reprises.

Huilez la grille chaude pour empêcher le poulet de coller. Placez les morceaux de viande brune sur la grille 10 minutes avant les morceaux de viande blanche (la viande brune prend plus de temps à cuire). Faites griller le poulet à feu couvert sur des briquettes à température moyenne pendant 30 à 45 minutes, en retournant les morceaux 1 ou 2 fois. Tournez-le et badigeonnez-le de sauce barbecue au cours des 10 dernières minutes de cuisson. Retirez le poulet du barbecue ; badigeonnez de sauce barbecue. Le poulet est assez cuit lorsque la viande n'est plus rose à proximité de l'os.

Donne 4 portions

Poulet piquant, épicé et collant

Crevettes grillées au poivre à l'ail

⅓ tasse d'huile d'olive
2 cuillères à table de jus de citron
1 cuillère à thé de poivre à l'ail
20 crevettes géantes décortiquées et déveinées
Quartiers de citron (facultatif)

1. Préparez le barbecue pour une cuisson directe.

2. Pendant ce temps, combinez l'huile, le jus de citron et le poivre à l'ail dans un grand sac de plastique refermable; ajoutez les crevettes. Marinez de 20 à 30 minutes au réfrigérateur en retournant le sac une fois.

3. Enfilez 5 crevettes sur 4 brochettes; jetez la marinade. Faites griller sur la grille à une chaleur moyenne pendant 6 minutes ou jusqu'à ce que les crevettes soient roses et opaques. Servez avec des quartiers de citron, au goût.

Donne 4 portions

Côtes levées piquantes et épicées

1 carré de côtes levées de porc (3 livres)
2 cuillères à table de beurre ou de margarine
1 oignon moyen finement haché
2 gousses d'ail hachées finement
1 boîte de sauce tomate (15 oz)
⅔ tasse de cassonade bien tassée
⅔ tasse de vinaigre de cidre
2 cuillères à table de poudre de chili
1 cuillère à table de moutarde préparée
½ cuillère à thé de poivre noir

Faites fondre le beurre dans une poêle à frire, sur un feu bas. Ajoutez l'oignon et l'ail; faites cuire et mélangez jusqu'à tendreté. Ajoutez les autres ingrédients, à l'exception des côtes, et portez à ébullition. Baissez le feu et laissez mijoter à feu bas pendant 20 minutes, en brassant à l'occasion.

Préparez le barbecue en y installant un bac récepteur rectangulaire en aluminium. Déposez des briquettes de chaque côté afin de réaliser une cuisson indirecte. Badigeonnez le côté charnu des côtes avec de la sauce. Déposez les côtes sur la grille, côté charnu vers le bas, au-dessus du bac récepteur et à environ 6 pouces au-dessus des briquettes; badigeonnez l'autre côté. Couvrez et faites cuire pendant environ 20 minutes; retournez les côtes et badigeonnez de nouveau. Cuisez pendant 45 minutes de plus ou jusqu'à ce qu'elles soient bien cuites, en badigeonnant de sauce toutes les 10 à 15 minutes.

Donne 3 portions

Crevettes grillées au poivre à l'ail

Poulet grillé avec sauce barbecue du Sud

Aérosol de cuisson antiadhésif
½ tasse d'oignon coupé en morceaux (env. 1 petit oignon)
4 gousses d'ail hachées finement
1 boîte (16 oz) de sauce aux tomates sans sel ajouté
¾ tasse d'eau
3 cuillères à table de cassonade bien tassée
3 cuillères à table de sauce chili
2 cuillères à thé de poudre de chili
2 cuillères à thé de thym séché
2 cuillères à thé de sauce Worcestershire
¾ cuillère à thé de flocons de piment broyés
½ cuillère à thé de cannelle moulue
½ cuillère à thé de poivre noir moulu
6 poitrines de poulet désossées (env. 2¼ livres)

1. Vaporisez une poêle à frire antiadhésive moyenne d'aérosol de cuisson ; chauffez sur un feu moyen jusqu'à ce qu'elle soit chaude. Ajoutez l'oignon et l'ail ; faites cuire pendant environ 5 minutes ou jusqu'à tendreté.

2. Ajoutez, en remuant, tous les autres ingrédients, sauf le poulet ; amenez à ébullition. Réduisez la chaleur et faites mijoter à feu doux pendant 30 minutes ou jusqu'à ce que le mélange ait réduit à environ 1½ tasse. Réservez ¾ de tasse de sauce pour badigeonner.

3. Pendant ce temps, préparez le barbecue pour une cuisson directe.

4. Faites griller le poulet à couvert sur des charbons de chaleur moyenne à élevée pendant 40 à 45 minutes ou jusqu'à ce qu'il ne soit plus rose au centre et que le jus devienne transparent, en retournant le poulet à plusieurs reprises et en badigeonnant de temps à autre avec la sauce réservée.

5. Chauffez le reste de la sauce dans la poêle à frire sur un feu moyen à élevé ; versez-en quelques cuillères sur le poulet. Servez avec des pommes de terre et d'autres légumes, selon le goût du jour.

Donne 6 portions

Poulet grillé avec sauce barbecue du Sud

Saucisses italiennes et poivrons marinés

½ tasse d'huile d'olive
¼ tasse de vinaigre de vin rouge
2 cuillères à table de persil fraîchement haché
1 cuillère à table d'origan séché
2 gousses d'ail écrasées
1 cuillère à thé de sel
1 cuillère à thé de poivre noir
4 chapelets de saucisses italiennes douces ou fortes
1 gros oignon tranché
1 gros poivron coupé en quartiers
Tartinade raifort et moutarde (recette ci-dessous)

1. Combinez l'huile, le vinaigre, le persil, l'origan, l'ail, le sel et le poivre noir dans un petit bol. Déposez les saucisses, l'oignon et le poivron dans un sac de plastique hermétique; versez le mélange d'huile dans le sac. Fermez le sac hermétiquement; tournez pour bien enduire. Marinez au réfrigérateur pendant 1 à 2 heures.

2. Préparez la tartinade raifort et moutarde; réservez. Préparez le barbecue pour une cuisson directe. Égouttez les saucisses, l'oignon et le poivron; réservez la marinade.

3. Faites griller les saucisses à couvert pendant 4 à 5 minutes. Tournez-les puis placez l'oignon et le poivron sur la grille. Badigeonnez les saucisses et les légumes avec la marinade réservée. Faites griller sur un feu couvert pendant 5 minutes ou jusqu'à ce que les légumes soient croquants, puis tournez les légumes à la mi-cuisson. Servez les saucisses, les oignons et les poivrons avec la tartinade raifort et moutarde.

Donne 4 portions

Tartinade raifort et moutarde

3 cuillères à table de mayonnaise
1 cuillère à table de persil fraîchement haché
1 cuillère à table de raifort préparé
1 cuillère à table de moutarde de Dijon
2 cuillères à thé de poudre d'ail
1 cuillère à thé de poivre noir moulu

Combinez tous les ingrédients dans un petit bol; mélangez bien.

Donne environ ½ tasse.

Saucisses italiennes et poivrons marinés

Shish kebabs

½ tasse d'huile végétale
½ tasse d'oignon coupé en morceaux
¼ tasse de vinaigre de vin rouge
¼ tasse de ketchup
2 cuillères à table de sauce Worcestershire
2 gousses d'ail pelées et pilées
1 cuillère à thé de sel
½ cuillère à thé d'origan ou de romarin frais haché grossièrement
¼ cuillère à thé de poivre noir
3 livres d'agneau ou de bœuf, coupé en cubes de 1 po
Morceaux de poivron vert
Petits oignons
Quartiers de tomates ou tomates cerises
Champignons

Combinez les 9 premiers ingrédients dans un grand bol. Ajoutez la viande et mélangez pour bien la recouvrir de sauce. Couvrez et réfrigérez jusqu'au lendemain.

Enfilez les morceaux de viande, de poivrons, les petits oignons, les tomates et les champignons sur des brochettes, en alternant selon vos goûts.

Déposez les brochettes sur la grille à environ 5 po au-dessus des charbons chauds. Retournez souvent jusqu'à ce que la viande atteigne la cuisson désirée.

Donne environ 8 portions

Astuce : Pour griller, faites préchauffer la rôtissoire. Déposez les brochettes à environ 5 po de la rôtissoire. Faites griller pendant environ 5 minutes. Tournez et faites griller pendant environ 5 minutes de plus, ou jusqu'à ce que la viande soit cuite.

Shish kebabs

Hamburgers de dinde à la californienne

1 livre de dinde hachée
½ tasse de coriandre fraîche hachée finement
⅓ tasse de chapelure ou de miettes de pain sec
3 cuillères à table de moutarde préparée
1 œuf battu
½ cuillère à thé de sel
¼ cuillère à thé de poivre noir moulu
8 tranches minces de fromage Monterey Jack (3 oz)
½ poivron rouge, orange ou jaune, épépiné et coupé en rondelles
4 pains hamburger

1. Combinez la dinde, la coriandre, la chapelure ou les miettes de pain, la moutarde, l'œuf, le sel et le poivre dans un grand bol. Façonnez 4 galettes en les pressant fermement.

2. Déposez les galettes sur la grille huilée. Faites griller à feu élevé pendant 15 minutes ou jusqu'à ce que le centre ne soit plus rose (160 °F). Recouvrez la viande de fromage pendant les dernières minutes de cuisson. Faites griller les poivrons pendant 2 minutes. Pour servir, placez les galettes sur le pain et décorez de rondelles de poivrons. Servez avec de la moutarde, au goût. *Donne 4 portions*

Temps de préparation : 15 minutes
Temps de cuisson : 15 minutes

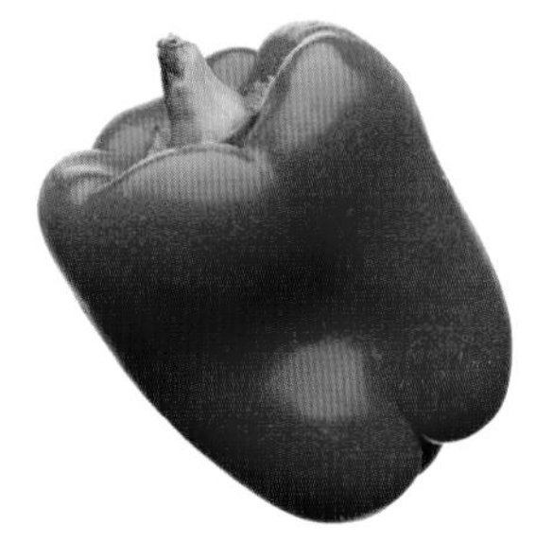

Hamburger de dinde à la californienne

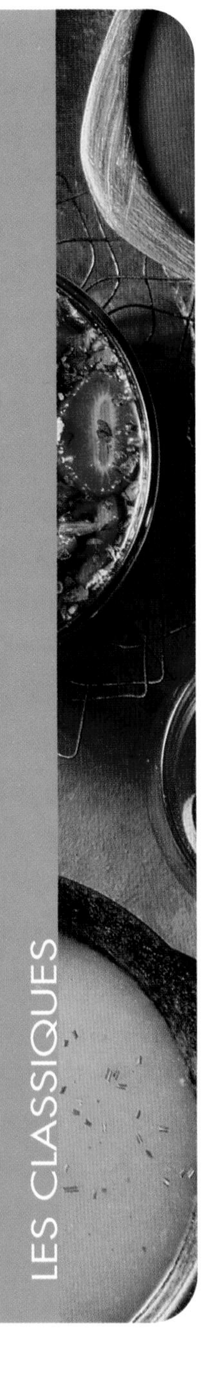

Salade César au poulet grillé

1 livre de poitrines de poulet désossées sans peau
½ tasse d'huile d'olive extra vierge
3 cuillères à table de jus de citron
2 cuillères à thé de pâte d'anchois
2 gousses d'ail hachées finement
½ cuillère à thé de sel
½ cuillère à thé de poivre noir moulu
6 tasses de feuilles de laitue romaine déchiquetées
4 tomates italiennes en quartiers
¼ tasse de parmesan rapé
1 tasse de croûtons à l'ail

1. Placez le poulet dans un sac de plastique refermable. Combinez l'huile, le jus de citron, la pâte d'anchois, l'ail, le sel et le poivre noir dans un petit bol. Réservez ⅓ de tasse de marinade; couvrez et réfrigérez jusqu'au moment de servir. Versez le reste de la marinade sur le poulet, dans le sac. Fermez le sac; tournez pour bien enduire. Marinez au réfrigérateur pendant au moins 1 heure et un maximum de 4 heures; tournez à l'occasion.

2. Combinez la laitue, les tomates et le fromage dans un grand bol. Couvrez; réfrigérez jusqu'au moment de servir.

3. Préparez le barbecue pour une cuisson directe.

4. Égouttez le poulet et versez la marinade dans un petit poêlon. Amenez la marinade à ébullition et laissez bouillir pendant 1 minute.

5. Déposez le poulet sur la grille. Faites griller le poulet à feu couvert à chaleur moyenne pendant 10 à 12 minutes ou jusqu'à ce que le poulet ne soit plus rose au centre, en badigeonnant de marinade après 5 minutes et en le retournant à la mi-cuisson. Jetez le reste de marinade. Laissez le poulet refroidir légèrement.

6. Tranchez le poulet chaud en bandes de ½ pouce de largeur; ajoutez le poulet et les croûtons au mélange de laitue dans le bol. Ajoutez ⅓ de tasse de marinade réservée; remuez pour bien enrober.

Donne 4 portions

Note: Le poulet peut aussi être réfrigéré jusqu'à ce qu'il soit froid avant d'être tranché.

Salade César au poulet grillé

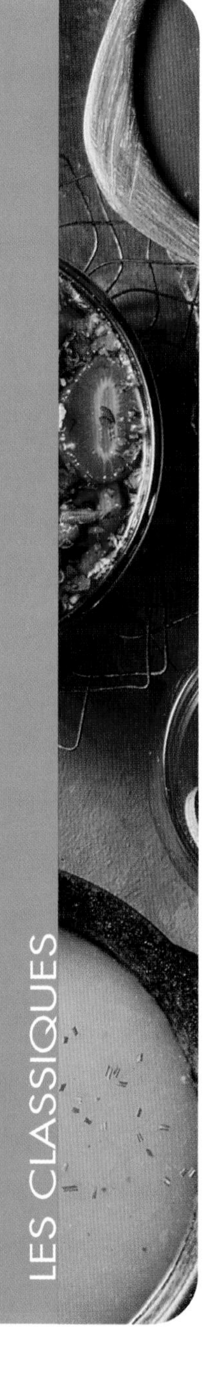

Francheezies à l'érable

Tartinade à la moutarde (recette ci-dessous)
¼ tasse de sirop d'érable
2 cuillères à thé de poudre d'ail
1 cuillère à thé de poivre noir moulu
½ cuillère à thé de muscade moulue
4 tranches de bacon
4 grosses saucisses à hot-dog
4 gros pains à hot-dog
½ tasse (2 oz) de cheddar râpé

1. Préparez la tartinade à la moutarde ; réservez.

2. Préparez le barbecue pour une cuisson directe.

3. Combinez le sirop d'érable, la poudre d'ail, le poivre et la muscade dans un petit bol. Badigeonnez ce mélange sur les tranches de bacon. Enroulez 1 tranche de bacon autour de chaque saucisse.

4. Badigeonnez les saucisses avec le reste du mélange de sirop et déposez-les sur la grille. Faites griller à couvert à feu moyen-élevé pendant 8 minutes ou jusqu'à ce que le bacon soit croustillant et que les saucisses soient complètement chauffées, en tournant à la mi-cuisson. Déposez les saucisses dans les pains, ajoutez la tartinade à la moutarde, puis le fromage.

Donne 4 portions

Tartinade à la moutarde

½ tasse de moutarde préparée
1 cuillère à table d'oignon haché finement
1 cuillère à table de tomate en dés
1 cuillère à table de persil frais haché
1 cuillère à thé de poudre d'ail
½ cuillère à thé de poivre noir moulu

Combinez tous les ingrédients dans un petit bol ; mélangez bien.

Donne environ ¾ de tasse.

Francheezie à l'érable

Hamburger aux oignons à l'américaine

1 livre de bœuf haché
2 cuillères à table de sauce Worcestershire
1 ⅓ tasse d'oignons frits (à être divisés)
½ cuillère à thé de sel d'ail
¼ cuillère à thé de poivre noir moulu
4 pains hamburger

Combinez le bœuf, la sauce Worcestershire, ⅔ de tasse d'oignons frits, le sel d'ail et le poivre. Façonnez 4 galettes. Déposez les galettes sur la grille. Faites griller à feu élevé pendant environ 10 minutes ou jusqu'à ce que le thermomètre à viande inséré au cœur des galettes atteigne une température de 160 °F, en retournant une seule fois. Garnissez de l'autre ⅔ de tasse d'oignons. Servez sur les pains.

Donne 4 portions

Hamburger au fromage et aux oignons : Placez une tranche de fromage sur chaque galette avant de garnir d'oignons frits.

Hamburger western piquant : Garnissez chaque hamburger d'une cuillère à table de sauce barbecue et d'une tranche de bacon avant de recouvrir le tout d'oignons frits.

Hamburger à la californienne : Combinez 2 cuillères à table de mayonnaise, de crème sûre et de moutarde piquante dans un petit bol ; déposez à la cuillère sur les hamburgers. Garnissez chaque hamburger de tranches d'avocat, de luzerne et d'oignons frits.

Hamburger Salisbury : Préparez un sachet de mélange à sauce brune selon les instructions de l'emballage. Ajoutez 1 petite boîte (4 oz) de champignons tranchés égouttés. Déposez à la cuillère sur les hamburgers et garnissez d'oignons frits.

Hamburger pizza : Garnissez chaque hamburger de sauce à pizza, de mozzarella et d'oignons frits.

Hamburger chili : Combinez 1 boîte (15 oz) de chili sans fèves, 2 cuillères à table de sauce piquante et 2 cuillères à thé de poudre de chili et de cumin moulu. Cuisez jusqu'à ce que le mélange soit uniformément chaud. Déposez à la cuillère sur les hamburgers et garnissez d'oignons frits.

Temps de préparation : 10 minutes
Temps de cuisson : 10 minutes

Hamburger à la californienne

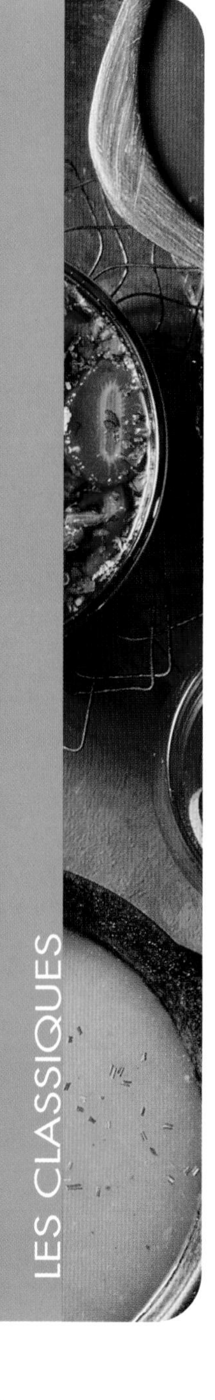

Poulet grillé avec sauce à la bière et au chili

2 cuillères à table d'huile végétale
1 petit oignon émincé
1 gousse d'ail hachée finement
½ tasse de ketchup
2 cuillères à table de cassonade
2 cuillères à thé de poudre de chili
2 chipotles hachés finement
1 cuillère à thé de moutarde sèche
½ cuillère à thé de sel
½ cuillère à thé de poivre noir moulu
3 bouteilles de bière pilsner (12 oz chacune)
½ tasse de jus de tomates
¼ tasse de sauce Worcestershire
1 cuillère à table de jus de citron
2 poulets entiers (environ 3,5 lb chacun) coupés en morceaux

1. Pour faire la sauce à la bière et au chili, faites chauffer de l'huile dans une casserole sur un feu moyen. Ajoutez l'oignon et l'ail ; faites cuire et mélangez jusqu'à tendreté. Combinez le ketchup, la cassonade, la poudre de chili, les chipotles, la moutarde, le sel et le poivre dans un bol moyen. Ajoutez 1 bouteille de bière, le jus de tomates, la sauce Worcestershire et le jus de citron ; mélangez au fouet jusqu'à ce que tous les ingrédients soient bien mêlés. Versez dans la casserole avec l'oignon et l'ail. Réduisez le feu pour laisser mijoter ; faites cuire jusqu'à ce que la sauce épaississe légèrement et soit réduite à environ 2 tasses. Laissez refroidir. Réfrigérez toute la nuit.

2. Placez le poulet dans deux sacs de plastique refermables. Versez une bouteille de bière sur le poulet dans chaque sac ; fermez les sacs hermétiquement. Réfrigérez pendant 8 heures ou toute la nuit.

3. Préparez le barbecue pour une cuisson directe ; huilez la grille. Retirez les poulets du sac ; égouttez et jetez la bière. Placez les cuisses et les hauts de cuisses sur les parties les plus chaudes de la grille, à environ 4 à 6 po du lit de charbon (les charbons devraient être uniformément recouverts de cendres) ; placez les poitrines au-dessus des charbons de température moyenne-élevée. Faites griller en tournant à l'occasion pendant 25 à 30 minutes.

4. Retirez la sauce à la bière et au chili du réfrigérateur ; réservez 1 tasse. Badigeonnez généreusement le poulet avec le reste de la sauce pendant les 10 dernières minutes de cuisson. La température interne devrait atteindre 180 °F pour la viande brune et 170 °F pour la viande blanche. Servez le poulet avec la sauce réservée réchauffée.

Donne 8 portions

Poulet grillé avec sauce à la bière et au chili

Crevettes sur le gril

1 livre de grosses crevettes crues, décortiquées et déveinées
1 poivron rouge épépiné et coupé en morceaux de 1 po
1 poivron jaune épépiné et coupé en morceaux de 1 po
4 tranches de lime (facultatif)
½ tasse de sauce barbecue fumée préparée
2 tasses de sauce Worcestershire
2 cuillères à table de sauce piquante au piment de Cayenne
1 gousse d'ail hachée finement

Enfilez les crevettes, les morceaux de poivron et de lime sur des brochettes de métal. Combinez la sauce barbecue, la sauce Worcestershire, la sauce piquante et l'ail dans un petit bol; mélangez bien. Badigeonnez les brochettes.

Déposez les brochettes sur la grille; réservez le mélange de sauce restant. Faites griller sur des charbons chauds pendant 15 minutes ou jusqu'à ce que les crevettes deviennent roses, en tournant et en badigeonnant souvent de sauce.

(Ne badigeonnez pas pendant les 5 dernières minutes de cuisson.) Servez chaud.

Donne 4 portions

Temps de préparation: 10 minutes
Temps de cuisson: 15 minutes

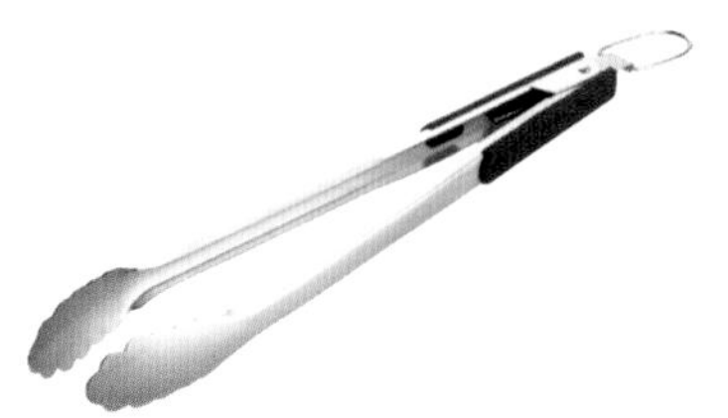

Crevettes sur le gril

Saucisses fumées avec maïs et fèves noires grillés

2 épis de maïs frais
2 cuillères à table d'huile végétale ou d'olive
1 paquet (12 oz) de saucisses fumées
½ tasse d'oignon rouge ou jaune haché
½ tasse de poivron rouge épépiné et haché
1 boîte (16 oz) de fèves noires égouttées
½ tasse de salsa préparée avec gros morceaux
Coriandre fraîche hachée pour garnir

Préparez le barbecue pour une cuisson directe. Badigeonnez 1 cuillère à table d'huile sur le maïs. Déposez le maïs et les saucisses sur la grille sur un feu moyen-élevé. Faites griller de 10 à 12 minutes sur un gril découvert jusqu'à ce que le maïs soit tendre et que les saucisses soient uniformément chaudes. Faites chauffer l'autre cuillère à table d'huile dans une casserole moyenne sur un feu moyen-élevé. Ajoutez l'oignon; faites cuire pendant 3 minutes. Ajoutez le poivron; faites cuire pendant 2 minutes. Ajoutez les fèves et la salsa. Couvrez; laissez mijoter pendant 5 minutes ou jusqu'à ce que l'ensemble soit bien chaud. Égrenez les épis dans le mélange. Déposez le mélange aux fèves dans les assiettes. Déposez les saucisses. Garnissez de coriandre, au goût.

Donne 6 portions

Saucisses fumées avec maïs et fèves noires grillés

les viandes

Côtes levées glacées à la moutarde et à l'érable

4 livres de côtes levées de porc
½ cuillère à thé de sel
½ cuillère à thé d'épices à marinades*
2 cuillères à thé d'huile végétale
1 petit oignon haché grossièrement
½ tasse de sirop d'érable
¼ tasse de vinaigre de cidre
2 cuillères à table d'eau
1 cuillère à table de moutarde de Dijon
Pincée de sel
¼ cuillère à thé de poivre noir moulu

**Les épices à marinades sont un mélange d'assaisonnements utilisés pour faire des marinades. Elles peuvent inclure plusieurs assaisonnements comme des quatre-épices, des feuilles de laurier, de la cardamome, de la coriandre, de la cannelle, des clous de girofle, du gingembre, des graines de moutarde ou de poivre. La plupart des épiceries vendent un tel mélange d'épices dans le rayon des épices et des herbes.*

Saupoudrez les côtes levées de ½ cuillère à thé de sel. Déposez les épices à marinades dans plusieurs épaisseurs de toile à fromage ; attachez pour former un petit baluchon. Réservez. Pour le glaçage, chauffez l'huile dans une petit casserole ; ajoutez l'oignon. Faites cuire et mélangez jusqu'à tendreté. Ajoutez le baluchon. Ajoutez le sirop, le vinaigre, l'eau, la moutarde, le sel et le poivre. Amenez à ébullition sur un feu moyen-élevé ; réduisez la chaleur et laissez mijoter pendant 20 minutes. Jetez le sachet d'épices.

Préparez le barbecue en y installant un bac récepteur rectangulaire en aluminium. Déposez des briquettes de chaque côté afin de réaliser une cuisson indirecte. Déposez les côtes sur la grille, au-dessus du bac récepteur. Faites griller sur un gril couvert à feu bas pendant 90 minutes ou jusqu'à ce que les côtes soient tendres, en tournant et en badigeonnant à l'occasion avec la sauce à glacer. (Ne badigeonnez pas pendant les 5 dernières minutes de cuisson.)

Donne 4 portions

Temps de préparation : 20 minutes
Temps de cuisson : 90 minutes

Côtes levées glacées à la moutarde et à l'érable

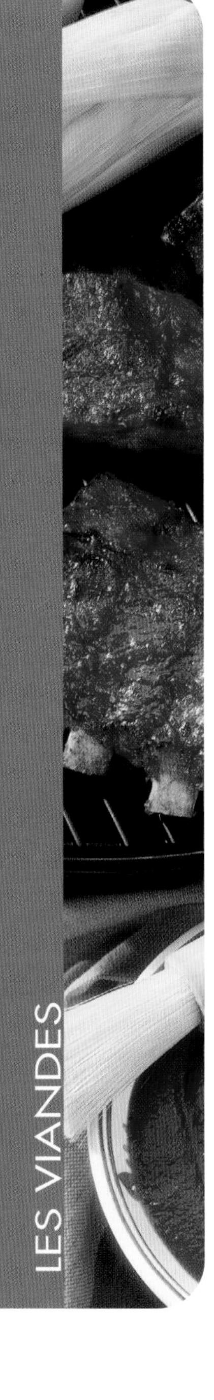

Biftecks grillés à l'asiatique avec une sauce piquante aux herbes

⅔ tasse d'huile végétale
3 cuillères à table de sucre
3 cuillères à table de xérès pour la cuisson
1 cuillère à table plus 1 ½ cuillère à thé d'ail haché
1 cuillère à table d'huile de sésame foncée
1 cuillère à thé de flocons de piment
½ cuillère à thé de sel
6 contre-filet (1 po d'épaisseur)
Sel et poivre noir au goût

Sauce piquante aux herbes
1 tasse de coriandre fraîche hachée avec les tiges
⅓ tasse d'huile végétale
1 cuillère à table de jus de lime
3 cuillères à table de sauce soya
1 ½ cuillère à thé d'ail haché
½ cuillère à thé d'huile de sésame foncée
½ cuillère à thé de piments jalapeños hachés*

*Les piments jalapeños peuvent brûler et irriter la peau ; portez des gants en caoutchouc lorsque vous manipulez les piments et ne vous touchez pas les yeux. Lavez vos mains après la manipulation.

Mélangez l'huile végétale, le sucre, le xérès, l'ail, l'huile de sésame, les flocons de piment et le sel dans un plat de cuisson en verre de 13 x 9 po. Mélangez jusqu'à ce que le sucre soit dissout. Assaisonnez les biftecks avec du sel et du poivre. Ajoutez-les dans le plat, tournez-les une fois pour bien les enrober. Marinez pendant 1 heure en les retournant une fois.

Pour faire la sauce piquante aux herbes, mélangez tous les ingrédients ; réservez.

Préchauffez le barbecue pour une cuisson directe.

Retirez les biftecks de la marinade. Jetez la marinade. Faites cuire les biftecks sur un feu moyen-élevé pendant 3 à 4 minutes par côté pour une cuisson saignante ou plus longtemps selon la cuisson désirée. Versez une petite quantité de sauce sur chaque bifteck.

Donne 6 portions

Bifteck grillé à l'asiatique avec une sauce piquante aux herbes

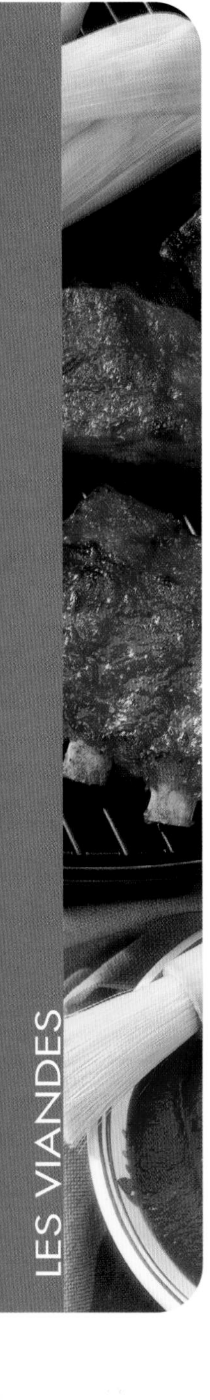

Salade d'épinards et saucisses

¼ tasse de vinaigre de xérès ou de vinaigre de vin blanc
1 cuillère à thé de graines de moutarde écrasées
½ cuillère à thé de sel
¼ cuillère à thé de poivre noir moulu
2 épis de maïs dépouillés
1 gros oignon rouge coupé en tranches de ¾ po d'épaisseur
4 cuillères à table d'huile d'olive extra vierge
12 onces de dinde, de poulet fumé ou de saucisses de porc, par exemple des saucisses polonaises ou des andouillettes, coupées en deux sur la longueur
2 gousses d'ail hachées finement
10 tasses de feuilles d'épinard légèrement tassées et déchiquetées
1 gros avocat pelé et coupé en cubes

Combinez le vinaigre, les graines de moutarde, le sel et le poivre ; réservez la vinaigrette. Badigeonnez le maïs et l'oignon avec 1 cuillère à table d'huile. Insérez les brochettes de bois dans les tranches d'oignon pour éviter qu'elles ne se séparent. (Faites tremper les brochettes de bambou dans l'eau chaude pendant 15 minutes pour éviter qu'elles ne brûlent.) Faites griller les saucisses, le maïs et l'oignon sur un feu moyen pendant 6 à 10 minutes jusqu'à ce que les légumes soient légèrement croquants et que les saucisses soient chaudes, en les retournant plusieurs fois. Égrenez les épis ; coupez l'oignon et tranchez les saucisses. Chauffez 3 cuillères à table d'huile dans un poêlon sur un feu moyen. Ajoutez l'ail ; faites cuire pendant 1 minute. Remuez les épinards, l'avocat, la saucisse, le maïs, l'oignon et la vinaigrette dans un grand bol. Versez le mélange d'huile chaude sur la salade ; remuez et servez immédiatement.

Donne 4 portions

Salade d'épinards et saucisses

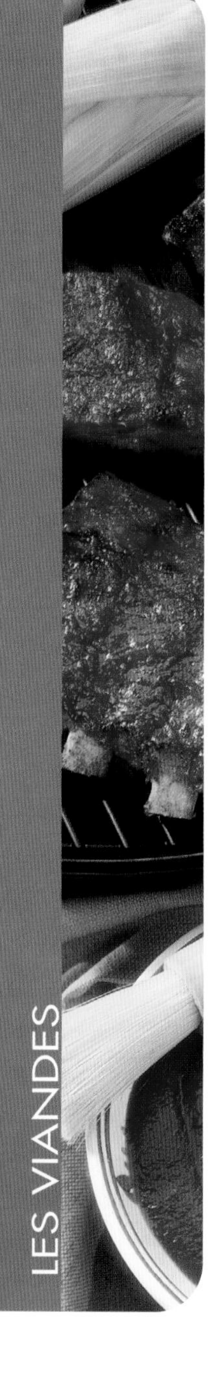

Côtelettes d'agneau marinées et grillées

8 côtelettes d'agneau bien parées, d'environ 1 po d'épaisseur (environ 2,5 lb)
3 gousses d'ail hachées finement
2 cuillères à table de romarin frais haché ou 2 cuillères à thé de romarin séché écrasé
2 cuillères à table de feuilles de menthe fraîches hachées ou 2 cuillères à thé de feuilles de menthe séchées
¾ tasse de vin rouge sec
⅓ tasse de beurre ou de margarine ramolli
¼ cuillère à thé de sel
¼ cuillère à thé de poivre noir moulu
Feuilles de menthe fraîches pour décorer

1. Pour mariner, placez les côtelettes dans un sac de plastique refermable. Combinez l'ail, le romarin et la menthe hachée dans un petit bol. Combinez la moitié de mélange d'ail au vin dans une tasse à mesurer en verre. Versez ensuite sur les côtelettes, dans le sac. Fermez le sac hermétiquement ; tournez pour bien enduire. Laissez mariner au réfrigérateur pendant au moins 2 heures et un maximum de 4 heures ; tournez à l'occasion.

2. Ajoutez le beurre, le sel et le poivre à l'autre moitié du mélange à base d'ail ; mélangez bien. Déposez à la cuillère au centre d'une feuille de pellicule de plastique. Roulez ensuite pour façonner un billot d'environ 4 x 1,5 po. Réfrigérez jusqu'au moment de servir.

3. Préparez le barbecue pour une cuisson directe. Égouttez les côtelettes et jetez la marinade. Déposez sur la grille. Faites griller à couvert sur un feu moyen pendant environ 9 minutes ou jusqu'à ce que le thermomètre à lecture instantanée inséré dans les côtelettes enregistre une température interne de 160 °F pour une cuisson rosée ou jusqu'à la cuisson désirée, en ne retournant les côtelettes qu'une fois.

4. Coupez le billot de beurre en diagonale en 8 tranches d'environ ½ pouce d'épaisseur. Pour servir, déposez une tranche de beurre assaisonné sur chaque côtelette. Décorez au goût.

Donne 4 portions

Côtelettes d'agneau marinées et grillées

Côtelettes d'agneau avec salsa orange-canneberge

1 orange moyenne en demi-quartiers ou ½ tasse de mandarines en conserve coupées en morceaux
¼ tasse d'oignon haché finement
¼ tasse de piments verts en boîte, égouttés et haché
¼ tasse de canneberges séchées
¼ tasse de marmelade d'oranges
1 cuillère à table de coriandre hachée finement
1 cuillère à table de vinaigre
2 cuillères à table de jus d'orange
1 cuillère à thé de sauce Worcestershire
8 côtelettes d'agneau d'environ 1 po d'épaisseur (environ 2 lb)

Pour la salsa, combinez l'orange, l'oignon, le piment vert, les canneberges, la marmelade, la coriandre et le vinaigre. Couvrez ; faites refroidir pendant quelques heures. Combinez le jus d'orange et la sauce Worcestershire. Badigeonnez l'agneau avec ce mélange. Faites griller sur un feu moyen à 4 pouces de la source de chaleur pendant 5 minutes. Retournez et faites griller pendant 4 à 6 minutes de plus ou jusqu'à l'obtention d'une cuisson moyenne. Servez avec la salsa. *Donne 4 portions*

Côtelettes d'agneau avec salsa orange-canneberge

Bifteck des Caraïbes grillé avec riz tropical fruité

1 bifteck de flanc (1,5 lb)
1 ¼ tasse de jus d'orange
¼ tasse de sauce soya
1 cuillère à thé de gingembre moulu
1 boîte (8 oz) d'ananas en morceaux dans son jus
¼ cuillère à thé de quatre-épices moulues
1 tasse de riz
1 boîte (11 oz) de quartiers de mandarine égouttés

1. Placez le bifteck dans un grand sac de plastique refermable. Dans un petit bol, combinez ¼ de tasse de jus d'orange, la sauce soya et le gingembre; versez sur le bifteck. Refermez le sac hermétiquement, puis tournez-le pour l'enrober de marinade. Réfrigérez le bifteck et retournez le sac à l'occasion, pendant au moins 8 heures et un maximum de 24 heures.

2. Égouttez l'ananas; réservez le jus. Combinez le reste du jus d'orange et le jus d'ananas dans une tasse à mesurer en verre; ajoutez suffisamment d'eau pour avoir 2 ¼ tasses de liquide.

3. Dans une casserole moyenne, combinez le mélange de jus, les quatre-épices et le sel, au goût. Amenez à ébullition; ajoutez le riz. Couvrez; réduisez le feu et laissez mijoter pendant 20 minutes. Retirez du feu et laissez reposer, couvert, pendant 5 minutes.

4. Pendant ce temps, retirez le bifteck de la marinade; jetez la marinade. Faites griller le bifteck sur un feu direct moyen ou élevé pendant 7 minutes de chaque côté pour une cuisson moyenne ou jusqu'au degré de cuisson désiré. Coupez le bifteck en diagonale, dans le sens contraire du grain, en tranches minces.

5. Placez le riz dans un bol de service. Ajoutez l'ananas et les oranges. Servez avec le bifteck.

Donne 6 portions

Suggestion : Pour donner une touche authentique des Caraïbes, ajoutez 1 tasse de mangue pelée aux morceaux d'ananas et d'oranges dans le riz.

Bifteck des Caraïbes grillé avec riz tropical fruité

Brochettes de porc barbecue

½ tasse de ketchup
¼ tasse de vinaigre blanc
¼ tasse d'huile végétale
1 cuillère à table de cassonade
1 cuillère à thé de moutarde sèche
1 gousse d'ail ou ½ cuillère à thé de poudre d'ail
½ cuillère à thé de sel
½ cuillère à thé de sauce Worcestershire
¼ cuillère à thé de poivre noir moulu
¼ cuillère à thé de sauce piquante (facultatif)
4 côtelettes de porc désossées coupées en cubes de 1,5 po
2 poivrons verts coupés en morceaux
2 oignons coupés en morceaux
Brochettes de bambou

1. Combinez le ketchup, le vinaigre, l'huile, la cassonade, la moutarde sèche, l'ail, le sel, la sauce Worcestershire, le poivre noir et la sauce piquante, dans un grand sac de plastique refermable. Mélangez bien. Réservez ¼ de tasse de marinade pour badigeonner. Ajoutez le porc ; refermez le sac hermétiquement. Faites mariner au réfrigérateur pendant au moins 1 heure.

2. Retirez le porc de la marinade ; jetez la marinade. Enfilez en alternance le porc, les poivrons et les oignons sur les brochettes. Faites griller les brochettes de 15 à 20 minutes ou jusqu'à ce que le porc soit à peine rosé au centre, tournez-les une fois et badigeonnez souvent avec le ¼ tasse de marinade réservée. Ne badigeonnez pas pendant les 5 dernières minutes de cuisson. Jetez le reste de la marinade.

Donne 4 portions

Suggestion : Servez sur un mélange de haricots rouges et de riz.

Astuce : Si vous utilisez des brochettes en bambou, faites-les tremper dans l'eau pendant 30 minutes avant de les utiliser pour leur éviter de brûler.

Brochettes de porc barbecue

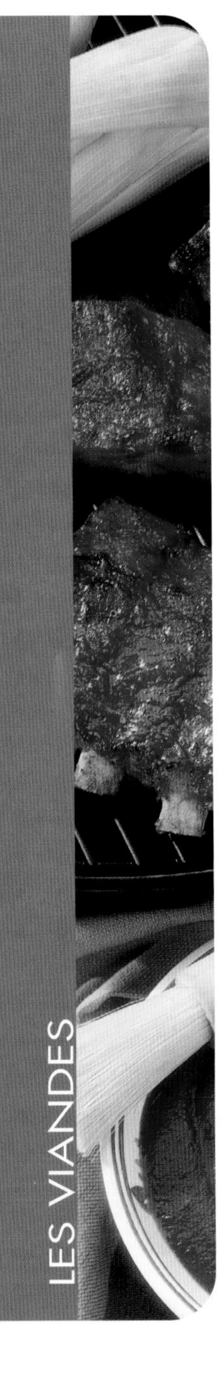

London Broil digne d'une grilladerie

1 paquet de mélange à soupe et à trempette aux oignons ou aux herbes et à l'ail
⅓ tasse d'huile d'olive
2 cuillères à table de vinaigre de vin rouge
1 bifteck d'intérieur de ronde (1,5 à 2 lb) ou 1 bifteck de flanc

- Dans un grand sac de plastique refermable ou dans un plat de verre de 13 x 9 po, mélangez le contenu du sachet, l'huile et le vinaigre.
- Ajoutez le bifteck; retournez-le pour bien l'enrober. Refermez le sac ou couvrez le plat et laissez mariner au réfrigérateur entre 30 minutes et 3 heures.
- Retirez la viande de la marinade; jetez la marinade. Faites cuire ou griller, en tournant à l'occasion, jusqu'à la cuisson souhaitée.
- Tranchez finement la viande dans le sens contraire du grain. *Donne 6 à 8 portions*

Poulet à l'ail: Remplacez le bifteck par 6 à 8 poitrines de poulet désossées ou par 3 à 4 livres de poulet non désossé. Marinez tel qu'indiqué. Faites griller le poulet désossé pendant 6 minutes ou les morceaux de poulet non désossés pendant 20 minutes ou jusqu'à ce que le poulet soit bien cuit.

Temps de préparation: 5 minutes
Temps de marinade: 30 minutes à 3 heures
Temps de cuisson au gril: 20 minutes

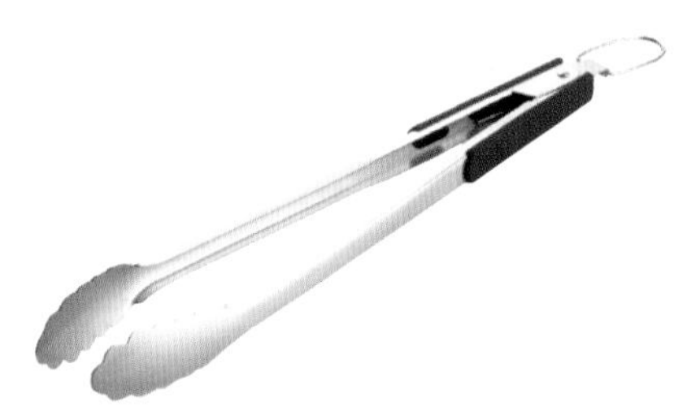

London Broil digne d'une grilladerie

Fajitas d'agneau grillé

3 cuillères à table d'huile d'olive
3 cuillères à table de tequila ou de jus d'orange
2 cuillères à table de jus de lime
1 cuillère à thé de cumin moulu
1 cuillère à thé de poudre de chili
1 cuillère à thé d'origan séché écrasé
½ cuillère à thé de sel
¼ cuillère à thé de poivre noir moulu
¼ cuillère à thé de flocons de piment écrasés
¼ tasse de coriandre fraîche hachée
1½ livre de bifteck de gigot d'agneau, coupé à 1 po d'épaisseur
6 oignons verts
3 piments poblano ou ancho frais (facultatif)
1 poivron rouge coupé en deux et épépiné
1 poivron vert coupé en deux et épépiné
1 poivron jaune coupé en deux et épépiné
12 tortillas de farine moyennes réchauffées
Salsa

Pour la marinade, combinez dans un petit bol l'huile, la tequila (ou le jus d'orange), le jus de lime, le cumin, la poudre de chili, l'origan, le sel, le poivre noir, les flocons de piment et la coriandre. Déposez l'agneau dans un plat en verre. Versez la marinade sur l'agneau ; couvrez et réfrigérez pendant 4 à 6 heures.

Allumez le feu ; laissez les charbons brûler jusqu'à ce qu'ils soient rouge vif et recouvrez de cendre grise.

Égouttez l'agneau ; jetez la marinade. Faites griller l'agneau, les oignons, les piments et les poivrons rouge, vert et jaune à 4 po de distance des charbons. Faites cuire les biftecks de 5 à 6 minutes par côté pour une cuisson saignante ou plus selon le degré de cuisson souhaité. Tournez fréquemment les légumes jusqu'à ce qu'ils soient cuits. Coupez les biftecks d'agneau et les légumes en tranches de ¼ po. Servez sur les tortillas ; ajoutez la salsa et roulez.

Donne 12 portions

Fajitas d'agneau grillé

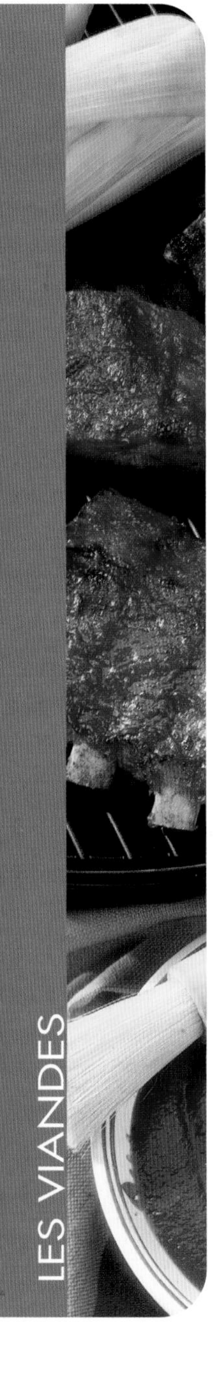

Côtelettes de porc à l'orange et aux herbes

1½ tasse de jus d'orange
¼ tasse d'huile végétale
1½ cuillère à thé de sel
1½ cuillère à thé de poivre noir fraîchement moulu
2 gousses d'ail écrasées
1 cuillère à thé de thym séché
4 côtelettes de porc coupées à ¾ de po d'épaisseur
½ tasse d'oignons verts hachés finement
1 cuillère à thé de zeste d'orange fraîchement râpé

1. Combinez le jus d'orange, 3 cuillères à table d'huile, le sel, le poivre, l'ail et le thym dans un petit bol. Déposez les côtelettes et ¾ de tasse de marinade dans un grand sac de plastique refermable ; refermez le sac. Faites mariner au réfrigérateur pendant au moins 1 heure. Réservez le reste de la marinade.

2. Retirez les côtelettes de la marinade ; jetez le reste de la marinade. Faites griller les côtelettes de 10 à 15 minutes ou jusqu'à ce qu'elles deviennent à peine roses au centre, en les retournant à la mi-cuisson.

3. Faites chauffer 1 cuillère à table d'huile dans un grand poêlon à frire. Ajoutez l'oignon et le zeste d'orange ; faites cuire sur un feu moyen pendant 1 minute. Ajoutez la marinade réservée. Réduisez le feu ; faire réduire le liquide de moitié. Servez sur les côtelettes.

Donne 4 portions

Suggestion : Servez avec des fruits frais.

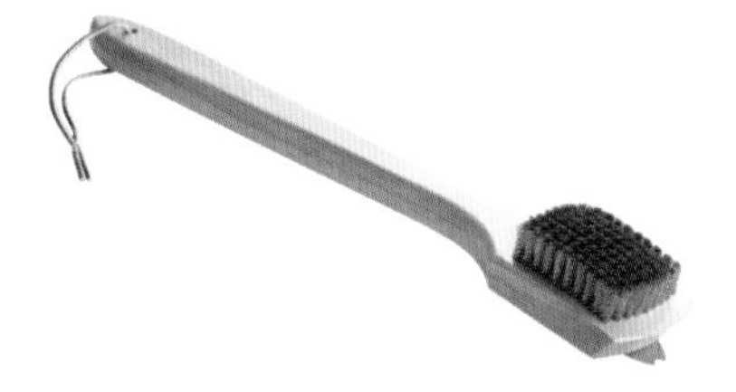

Côtelette de porc à l'orange et aux herbes

Bœuf et salsa Guadalajara

1 bouteille (12 oz) de bière mexicaine foncée*
¼ tasse de sauce soya
2 gousses d'ail hachées finement
1 cuillère à thé de cumin moulu
1 cuillère à thé de poudre de chili
1 cuillère à thé de sauce piquante
4 biftecks de surlonge ou de contre-filet (4 à 6 oz chacun)
Sel et poivre noir
Poivrons rouge, vert et jaune coupés en quartiers et épépinés (facultatif)
Salsa (recette ci-dessous)
Tortillas de farine (facultatif)
Quartiers de lime

**La bière mexicaine foncée peut être remplacée par une autre bière, au choix.*

Combinez la bière, la sauce soya, l'ail, le cumin, la poudre de chili et la sauce piquante au piment dans un grand plat de verre creux ou dans un grand sac de plastique refermable. Ajoutez le bœuf; couvrez le plat ou refermez le sac. Faites mariner au réfrigérateur pendant un maximum de 12 heures, en retournant le bœuf à plusieurs reprises. Retirez le bœuf de la marinade; jetez la marinade. Assaisonnez de sel et de poivre noir.

Huilez la grille chaude pour empêcher le bœuf de coller. Faites griller le bœuf et les poivrons, au goût, sur un feu couvert pendant 8 à 12 minutes, en retournant une fois. Le bœuf devrait atteindre une cuisson moyenne et les poivrons devraient être tendres. Servez avec de la salsa, des tortillas et, au goût, des quartiers de lime.

Donne 4 portions

SALSA: Combinez 2 tasses de tomates en dés, 2 oignons verts tranchés, 1 cuillère à table d'huile d'olive, 2 à 4 cuillères à thé de jus de lime, 1 gousse d'ail haché finement et 1 à 2 cuillères à thé de piment jalapeño ou serrano dans un bol moyen. Assaisonnez avec ½ cuillère à thé de sel, ½ cuillère à thé de sucre et ¼ de cuillère à thé de poivre noir moulu. Ajoutez 8 à 10 tiges de coriandre fraîche hachée. Assaisonnez au goût, en ajoutant plus de jus de citron ou de piment.

Bœuf Guadalajara

Brochettes d'agneau au vin et au romarin

1 tasse de vin rouge sec
¼ tasse d'huile d'olive
3 gousses d'ail coupées en lamelles
1 cuillère à table de thym frais haché ou 1 cuillère à thé de thym séché émietté
1 cuillère à table de romarin frais haché ou 1 cuillère à thé de romarin séché émietté
2 livres d'agneau désossé coupé en cubes de 1 po
Sel et poivre noir moulu
4 ou 5 tiges de romarin frais (facultatif)
Pain grillé (recette ci-dessous)

Combinez le vin, l'huile, l'ail, le thym et le romarin dans un plat de verre peu profond ou dans un grand sac de plastique refermable. Ajoutez l'agneau ; couvrez le plat ou refermez le sac. Faites mariner l'agneau au réfrigérateur pendant un maximum de 12 heures en le retournant à plusieurs reprises. Retirez l'agneau de la marinade ; jetez la marinade. Enfilez l'agneau sur 6 longues brochettes de métal. Assaisonnez avec du sel et du poivre.

Huilez la grille chaude pour empêcher l'agneau de coller. Faites griller l'agneau à feu couvert sur des briquettes à température moyenne, pendant 8 à 12 minutes, en retournant les morceaux 1 à 2 fois. Ouvrez le barbecue et jetez le romarin sur les charbons pendant les dernières 4 à 5 minutes de cuisson, si désiré. Déplacez les brochettes sur les côtés du barbecue afin de les garder chaudes pendant que le pain grille. Décorez au goût.

Donne 6 portions

Pain grillé

¼ tasse d'huile d'olive
2 cuillères à table de vinaigre de vin rouge
1 baguette (environ 12 po de longueur) tranchée sur la longueur, puis coupée en morceaux
Sel et poivre noir fraîchement moulu

Mélangez l'huile et le vinaigre dans une tasse ; badigeonnez sur les surfaces coupées du pain. Assaisonnez légèrement avec du sel et du poivre. Faites griller le pain, côté coupé vers le bas, sur un gril découvert jusqu'à ce qu'il soit légèrement grillé.

Donne 6 portions

Brochettes d'agneau au vin et au romarin

Bifteck et légumes grillés au parmesan

2 biftecks d'aloyau bien parés coupés à 1 po d'épaisseur (environ 2 livres)
1 cuillère à table d'ail écrasé
2 cuillères à thé de basilic séché
1 cuillère à thé de poivre noir moulu
¼ tasse de parmesan rapé
2 cuillères à table d'huile d'olive
2 cuillères à table de vinaigre de vin rouge
2 poivrons rouges ou jaunes moyens coupés en quartiers dans le sens de la longueur
1 gros oignon rouge coupé en tranches de ½ po d'épaisseur
Sel

1. Combinez l'ail, le basilic et le poivre noir dans un petit bol ; mélangez bien. Retirez 4 cuillères à thé d'assaisonnement ; pressez des deux côtés des biftecks.

2. Ajoutez le fromage, l'huile et le vinaigre au reste d'assaisonnement et mélangez bien ; réservez.

3. Déposez les biftecks au centre de la grille sur un feu moyennement chaud ; répartissez les légumes autour des biftecks. Faites griller les biftecks à découvert pendant 14 à 16 minutes pour obtenir une cuisson saignante à moyenne, en les retournant à l'occasion. Faites griller les poivrons de 12 à 15 minutes et les oignons de 15 à 20 minutes ou jusqu'à tendreté, en les retournant une fois. Badigeonnez les légumes avec le mélange au fromage pendant les 10 dernières minutes de cuisson.

4. Assaisonnez les biftecks de sel, au goût. Découpez le gras ; retirez les os. Coupez les biftecks en tranches épaisses, en diagonale ; servez avec les légumes.

Donne 4 portions

Bifteck et légumes grillés au parmesan

Côtes levées de bœuf fumées et piquantes

Morceaux ou copeaux de bois pour le fumage
4 à 6 livres de côtes de dos de bœuf coupées en morceaux de 3 à 4 côtes
Poivre noir moulu
1 ⅓ tasse de sauce barbecue
2 cuillères à thé de sauce au piment ou de sauce chili piquante
Bière à la température ambiante ou eau chaude du robinet

1. Préparez le barbecue pour une cuisson indirecte. Faites tremper 4 morceaux de bois ou plusieurs poignées de copeaux dans de l'eau ; égouttez.

2. Répartissez les côtes sur une plaque de cuisson ; poivrez. Combinez la sauce barbecue et la sauce piquante au piment. Badigeonnez les côtes avec la moitié de la sauce. Marinez au réfrigérateur de 30 à 60 minutes.

3. Disposez les charbons de chaque côté d'un bac récepteur en métal ou en aluminium. (Puisque les côtes ont été badigeonnées avec la sauce avant la cuisson, un feu bas est nécessaire pour préserver l'humidité.) Versez la bière pour remplir la moitié du bac. Ajoutez le bois trempé (tous les morceaux ou une partie des copeaux) au feu.

4. Huilez la grille chaude pour empêcher le bœuf de coller. Déposez les côtes sur la grille, le côté charnu vers le haut, au-dessus du bac. Faites cuire sur un feu couvert pendant environ 1 heure, en badigeonnant le reste de la sauce 2 ou 3 fois pendant la cuisson. Si votre barbecue est doté d'un thermomètre, maintenez la température de cuisson entre 250 °F et 275 °F. Ajoutez des briquettes après 30 minutes ou au besoin, afin de maintenir une température constante. Ajoutez des copeaux de bois imbibés d'eau toutes les 30 minutes, au besoin. Servez avec du maïs en épi grillé, si désiré.

Donne 4 à 6 portions

Un feu moyen utilise environ 3 à 4 livres de charbon.

Côtes levées de bœuf fumées et piquantes

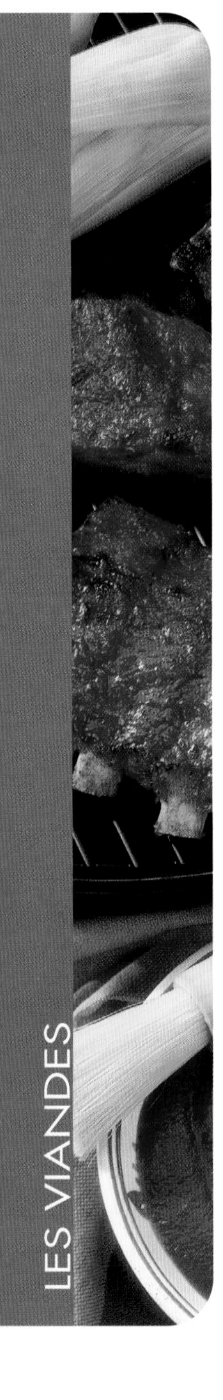

Poitrine de bœuf en pâte d'épices

2 tasses de copeaux d'hickory
1 cuillère à thé de sel
1 cuillère à thé de paprika
1 cuillère à thé de poudre de chili
1 cuillère à thé de poivre à l'ail
1 poitrine de bœuf (3 à 3,5 livres)
¼ tasse de bière ou de bouillon de bœuf
1 cuillère à table de sauce Worcestershire
1 cuillère à table de vinaigre balsamique
1 cuillère à thé d'huile d'olive
¼ cuillère à thé de moutarde sèche
6 épis de maïs coupés en morceaux de 2 po
12 petites pommes de terre nouvelles
6 carottes coupées en morceaux de 2 po
2 poivrons verts coupés en morceaux de 2 po
6 cuillères à table de jus de citron
6 cuillères à table d'eau
1½ cuillère à thé d'assaisonnement à l'italienne séché sans sel

1. Recouvrez d'eau les copeaux d'hickory et laissez tremper pendant 30 minutes. Préparez le barbecue pour une cuisson indirecte. Déposez des briquettes de chaque côté d'un bac rempli d'eau.
2. Combinez le sel, le paprika, la poudre de chili et le poivre à l'ail. Étendez la pâte d'épices de chaque côté de la poitrine ; recouvrez de papier d'aluminium et réservez. Combinez la bière, la sauce Worcestershire, le vinaigre, l'huile et la moutarde séchée ; réservez.
3. Égouttez les copeaux d'hickory ; saupoudrez ½ tasse sur les briquettes. Déposez la poitrine de bœuf sur la grille, directement au-dessus du bac récepteur et faites griller sur une grille à feu couvert à température moyenne pendant 30 minutes. Badigeonnez avec le mélange de bière réservé ; retournez toutes les 30 minutes pendant 3 heures ou jusqu'à ce que le thermomètre à viande atteigne 160 °F dans la portion la plus épaisse de la pièce de bœuf. Ajoutez de 4 à 9 briquettes et ¼ tasse de copeaux d'hickory.
4. Enfilez les légumes en alternance sur des brochettes de métal. Combinez le jus de citron, l'eau et l'assaisonnement à l'italienne ; badigeonnez sur les légumes. Faites griller les légumes avec le bœuf pendant 20 à 25 minutes ou jusqu'à tendreté, en les tournant une fois.
5. Retirez la pièce pour la déposer sur une planche à découper ; déposez une feuille d'aluminium en forme de tente sur la viande et laissez reposer pendant 10 minutes avant de découper. Retirez le surplus de gras. Servez le bœuf avec des brochettes de légumes. Décorez au goût.

Donne 12 portions

Poitrine de bœuf en pâte d'épices

Bifteck de flanc mariné avec ananas

1 boîte (15 ¼ oz) d'ananas en tranches dans son jus
¼ tasse de sauce teriyaki
2 cuillères à table de miel
1 livre de bifteck de flanc

1. Égouttez l'ananas ; réservez 2 cuillères à table de jus. Réservez l'ananas.

2. Combinez le jus réservé, la sauce teriyaki et le miel dans un plat peu profond ; mélangez bien. Ajoutez la viande ; retournez pour bien enrober. Recouvrez et réfrigérez pendant au moins 30 minutes ou toute la nuit.

3. Retirez la viande de la marinade ; réservez la marinade. Faites griller la viande sur des charbons chauds en badigeonnant à l'occasion avec la marinade réservée. Faites cuire pendant environ 4 minutes de chaque côté pour une cuisson saignante ; environ 5 minutes de chaque côté pour une cuisson moyenne ; ou environ 6 minutes de chaque côté pour une viande bien cuite. Pendant les 4 dernières minutes de cuisson, faites griller les tranches d'ananas jusqu'à ce qu'elles soient uniformément chaudes.

4. Tranchez la viande dans le sens contraire au grain ; servez avec l'ananas. Décorez au goût. *Donne 4 portions*

Note : La marinade qui a été en contact avec la viande crue doit être jetée ou amenée à ébullition pendant plusieurs minutes avant de pouvoir être servie avec les aliments cuits.

Temps de préparation et de marinade : 35 minutes
Temps de cuisson : 10 minutes

Bifteck de flanc mariné avec ananas

Gigot d'agneau en croûte de romarin

¼ tasse de moutarde de Dijon
2 grosses gousses d'ail émincées
1 gigot d'agneau papillon désossé (portion surlonge, environ 2,5 livres) bien paré
3 cuillères à table de romarin frais haché ou 1 cuillère à table de romarin séché
Tiges de romarin frais (facultatif)
Gelée de menthe (facultatif)

1. Préparez le barbecue pour une cuisson directe.

2. Combinez la moutarde et l'ail dans un petit bol ; répartissez la moitié du mélange sur un côté de la pièce d'agneau. Saupoudrez de la moitié de romarin coupé ; tamponnez dans le mélange à base de moutarde. Tournez la pièce d'agneau et répétez avec ce qui reste de mélange à base de moutarde et de romarin. Insérez le thermomètre à viande calorifuge au centre de la portion la plus épaisse de l'agneau.

3. Déposez l'agneau sur la grille. Faites griller, à couvert, sur un feu moyen pendant 35 à 40 minutes ou jusqu'à ce que le thermomètre enregistre une température de 160 °F pour une cuisson rosée ou jusqu'au degré de cuisson désiré, en retournant la pièce toutes les 10 minutes.

4. Pendant ce temps, faites tremper les tiges de romarin dans l'eau, si désiré. Placez les tiges de romarin directement sur les briquettes pendant les 10 dernières minutes de cuisson.

5. Transférez l'agneau sur la planche à découper ; recouvrez d'une feuille d'aluminium en forme de tente. Laissez reposer pendant 10 minutes avant de couper en tranches minces. Servez avec de la gelée de menthe, si désiré. *Donne 8 portions*

Gigot d'agneau en croûte de romarin

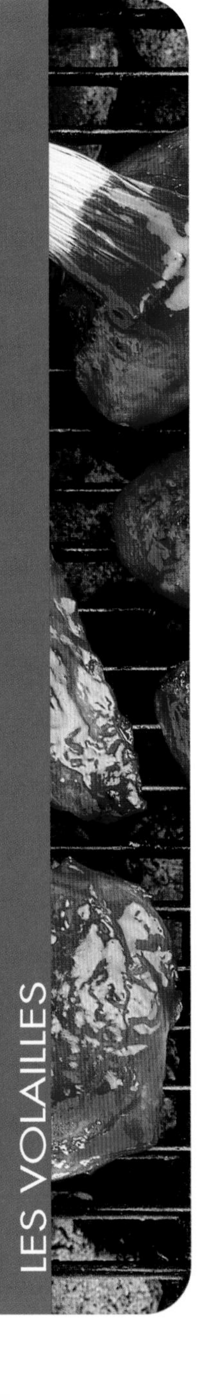

Poulet barbecue à la Caroline

2 livres de demi-poitrines ou de cuisses de poulet sans peau et désossées
¾ tasse de cassonade pâle tassée
¾ tasse de moutarde préparée
½ tasse de vinaigre de cidre
¼ tasse de sauce piquante au piment de Cayenne
2 cuillères à table d'huile végétale
2 tasses de sauce Worcestershire
½ cuillère à thé de sel
¼ cuillère à thé de poivre noir moulu

1. Placez le poulet dans un sac de plastique refermable. Combinez ½ tasse de cassonade, la moutarde, le vinaigre, la sauce piquante, l'huile, la sauce Worcestershire, le sel et le poivre dans une tasse à mesurer pouvant contenir 4 tasses ; mélangez bien. Versez 1 tasse du mélange à la moutarde sur le poulet. Fermez le sac hermétiquement ; laissez mariner au réfrigérateur pendant au moins 1 heure ou, au maximum, toute la nuit.

2. Versez le reste du mélange à la moutarde dans une petite casserole. Ajoutez ½ de tasse de cassonade. Amenez à ébullition. Réduisez le feu ; faites mijoter pendant 5 minutes ou jusqu'à ce que le sucre fonde et que le mélange épaississe légèrement, en mélangeant souvent. Réservez comme sauce de service.

3. Déposez le poulet sur la grille bien huilée ; réservez la marinade. Faites griller à feu élevé pendant 10 à 15 minutes ou jusqu'à ce que le poulet ne soit plus rose au centre, en le tournant et en le badigeonnant une fois avec la marinade. Ne badigeonnez pas pendant les 5 dernières minutes de cuisson. Jetez le reste de marinade. Servez le poulet avec la sauce réservée. *Donne 8 portions*

Temps de préparation : 15 minutes
Temps de marinade : 1 heure
Temps de cuisson : 10 minutes

Poulet barbecue à la Caroline

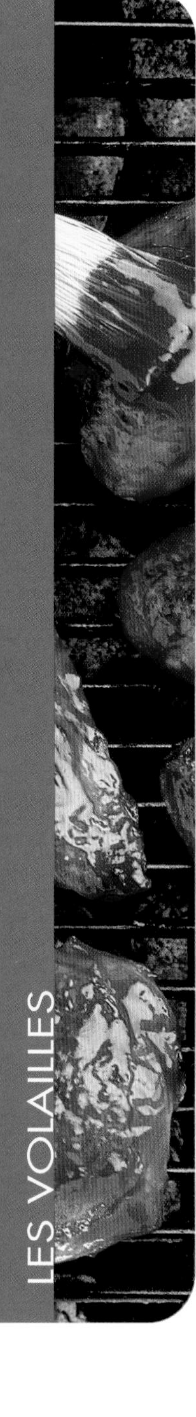

Poulet de Cornouailles papillon

2 poulets de Cornouailles* (environ 3 lb)
Huile d'olive à vaporiser
Sel assaisonné
Poivre noir moulu
½ tasse de moutarde de Dijon au miel
Légumes grillés (facultatif)

**Vous pouvez remplacer les poulets de Cornouailles par 3 livres de morceaux de poulet (sans peau, si désiré).*

Retirez le cou et les abats des poulets ; jetez. Lavez les poulets et tamponnez pour les sécher. Déposez un poulet, côté poitrine vers le bas, sur une planche à découper. À l'aide d'un ciseau de cuisine ou d'un couteau coupant, coupez le long de l'os dorsal aussi près de l'os que possible. Découpez l'autre côté de l'os dorsal ; retirez l'os. Écartez le poulet et retournez-le pour que la poitrine soit face vers le haut. Appuyez pour aplatir. Répétez avec l'autre poulet.

Pour garder les pilons à plat, faites une petite fente dans la peau à la pointe du couteau entre la cuisse et la poitrine. Poussez l'extrémité de la cuisse dans la fente. Répétez de l'autre côté et avec l'autre poulet. Enduisez les deux côtés des poulets d'huile d'olive vaporisée. Saupoudrez de sel assaisonné et de poivre. Badigeonnez généreusement la moutarde sur les deux côtés des poulets.

Déposez les poulets, côtés peau vers le haut, sur la grille huilée. Faites griller à feu moyen-élevé pendant 35 à 45 minutes jusqu'à ce que la chair ne soit plus rose près de l'os et que le jus soit transparent. Badigeonnez souvent avec le reste de moutarde. (Ne badigeonnez pas pendant les 10 dernières minutes de cuisson.) Servez avec des légumes grillés, si désiré.

Donne 4 portions

Temps de préparation : 15 minutes
Temps de cuisson : 45 minutes

Poulet de Cornouailles papillon

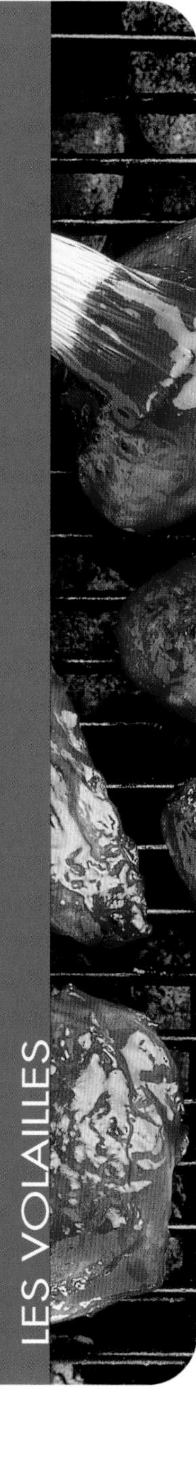

Salade de poulet du Sud-Ouest

1 paquet (1,27 oz) d'assaisonnements et épices pour fajitas
3 cuillères à table d'huile végétale
2½ cuillères à table de jus de lime
1½ cuillère à thé de poudre d'ail avec persil
6 poitrines de poulet désossées sans peau (environ 1,5 lb)
6 tasses de feuilles de laitue déchirées
½ oignon rouge tranché finement
1 grosse tomate coupée en quartiers
1 avocat tranché finement
Vinaigrette de style ranch

Dans un petit bol, mélangez les épices et assaisonnements pour fajitas, l'huile, le jus de lime et la poudre d'ail au persil. Rincez et percez le poulet à l'aide d'une fourchette en plusieurs endroits. Placez le poulet dans un grand sac de plastique refermable. Versez le mélange d'épices ; fermez le sac et remuez pour bien enrober le poulet. Réfrigérez pendant 30 minutes ou, au maximum, jusqu'au lendemain. Retirez le poulet du sac ; jetez la marinade. Faites griller jusqu'à ce que le poulet ne soit plus rosé et que le jus soit transparent lorsque coupé, soit environ 10 à 15 minutes. Laissez légèrement refroidir, puis tranchez ou coupez en cubes. Pour servir les salades, déposez le poulet sur un lit de feuilles de laitue. Ajoutez en portions égales l'oignon, la tomate et l'avocat. Ajoutez la vinaigrette de style ranch.

Donne de 4 à 6 portions

Temps de préparation : 15 minutes
Temps de marinade : 30 minutes
Temps de cuisson : 10 à 15 minutes

Salade de poulet du Sud-Ouest

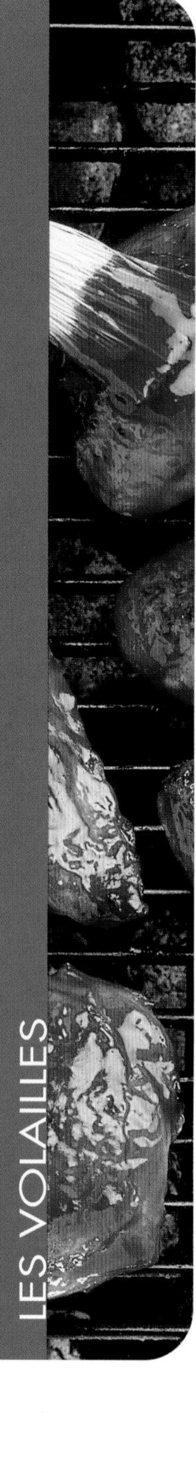

Poulet piquant à la mangue

¼ tasse de nectar de mangue
¼ tasse de coriandre fraîche hachée
2 piments jalapeños épépinés et hachés finement
2 cuillères à thé d'huile végétale
2 cuillères à thé de sel assaisonné
½ cuillère à thé de poudre d'ail avec persil
½ cuillère à thé de cumin moulu
4 poitrines de poulet désossées sans peau (environ 1 lb)
Salsa à la mangue et aux haricots noirs (recette ci-dessous)

Dans un petit bol, combinez tous les ingrédients à l'exception du poulet et de la salsa; mélangez bien. Badigeonnez la marinade des deux côtés du poulet. Faites griller le poulet de 10 à 15 minutes ou jusqu'à ce qu'il ne soit plus rose au centre et que le jus soit transparent lorsque coupé, en tournant une fois et en badigeonnant avec le reste de marinade. Ne badigeonnez pas pendant les 5 dernières minutes de cuisson. Jetez le reste de marinade. Garnissez le poulet avec la salsa à la mangue et aux haricots noirs.

Donne 4 portions

Astuce: Les piments jalapeños peuvent brûler et irriter la peau; portez des gants en caoutchouc lorsque vous manipulez les piments et ne vous touchez pas les yeux.

Salsa à la mangue et aux haricots noirs

1 mangue mûre pelée, dénoyautée et coupée en morceaux
1 tasse de haricots noirs en boîte rincés et égouttés
½ tasse de tomate coupée en morceaux
2 oignons verts hachés finement
1 cuillère à table de coriandre fraîche hachée
1½ cuillère à thé de jus de lime
1½ cuillère à thé de vinaigre de vin rouge
½ cuillère à thé de sel assaisonné

Dans un bol moyen, combinez tous les ingrédients et mélangez bien. Laissez reposer pendant 30 minutes pour laisser les saveurs se marier.

Donne environ 2¾ tasses

Suggestion: Servez avec du poulet ou du poisson.

Poulet piquant à la mangue

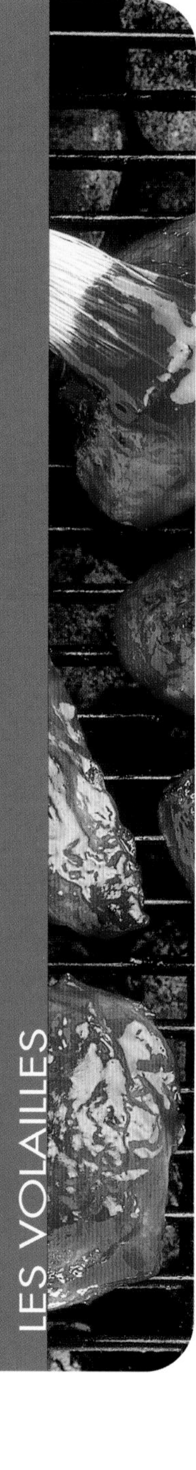

Brochettes de poulet teriyaki

1 tasse de marinade teriyaki avec jus d'ananas
1 livre de poitrines de poulet désossées sans peau coupées en cubes de 1 po
½ cuillère à thé de poivre aromatisé
½ cuillère à thé de poudre d'ail au persil
2 zucchinis moyens coupés en tranches de ½ po d'épaisseur
1 poivron vert moyen coupé en carrés de 1 po
1 petit oignon rouge coupé en morceaux de ½ po
Brochettes de bambou

Dans un sac de plastique refermable, combinez ¾ de tasse de sauce teriyaki avec le poulet. Laissez mariner au réfrigérateur pendant 30 minutes. Retirez le poulet du sac et jetez la marinade utilisée. Saupoudrez le poulet de poivre aromatisé et de poudre d'ail. Enfilez les morceaux de poulet sur les brochettes en alternant avec les autres ingrédients. Faites griller jusqu'à ce que le poulet soit bien cuit, soit environ 10 minutes de chaque côté, en badigeonnant avec le ¼ de tasse de marinade qui reste.

Donne 6 portions

Idée-repas : Idéal pour les pique-niques et les barbecues. Pour faire des sandwichs roulés, retirez les brochettes après la cuisson et servez dans des tortillas de farine.

Temps de préparation : 10 minutes
Temps de marinade : 30 minutes
Temps de cuisson : 10 à 12 minutes

Les kebabs (brochettes) ont probablement été inventés il y a plusieurs siècles alors que les cavaliers turcs allumaient de gros feux et qu'ils enfilaient des pièces de viande sur leurs épées pour les faire cuire.

Brochettes de poulet teriyaki

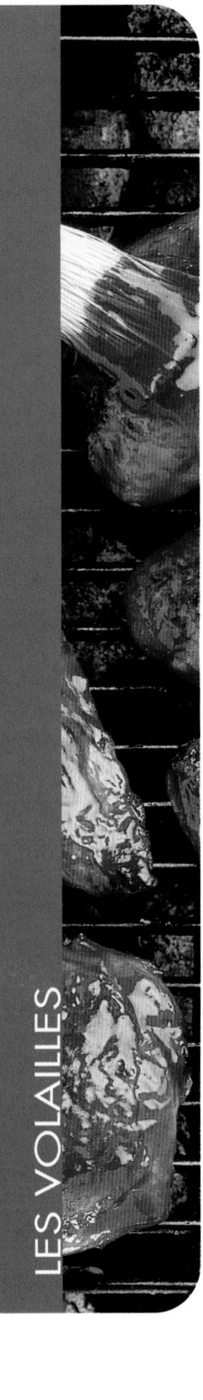

Poulet mariné moutarde et lime

2 poitrines de poulet désossées sans peau (environ 3 oz chacune)
¼ tasse de jus de lime
3 cuillères à table de moutarde au miel
2 cuillères à thé d'huile d'olive
¼ cuillère à thé de cumin moulu
⅛ cuillère à thé de poudre d'ail
⅛ cuillère à thé de flocons de piment broyés
¾ tasse plus 2 cuillères à table de bouillon de poulet
¼ tasse de riz
1 tasse de bouquets de brocoli
⅓ tasse de juliennes de carottes

1. Rincez le poulet. Tamponnez avec du papier essuie-tout pour le sécher. Placez dans un sac de plastique refermable. Mélangez au fouet le jus de lime, 2 cuillères à table de moutarde, l'huile d'olive, le cumin, la poudre d'ail et le piment. Versez sur le poulet. Refermez le sac. Laissez mariner au réfrigérateur pendant 2 heures.

2. Combinez ¾ de tasse de bouillon de poulet, le riz et 1 cuillère à table de moutarde dans un petite casserole. Amenez à ébullition. Réduisez le feu et faites mijoter à couvert pendant 12 minutes ou jusqu'à ce que le riz soit presque tendre. Ajoutez le brocoli, les carottes et 2 cuillères à table de bouillon de poulet. Faites cuire à feu couvert pendant 2 à 3 minutes ou jusqu'à ce que les légumes soient légèrement croquants et le riz, tendre.

3. Pendant ce temps, égouttez le poulet et jetez la marinade. Préparez le barbecue pour une cuisson directe. Faites griller le poulet sur un feu moyen pendant 10 à 13 minutes ou jusqu'à ce que la chair ne soit plus rose. Servez le poulet avec le riz.

Donne 2 portions

Poulet mariné moutarde et lime

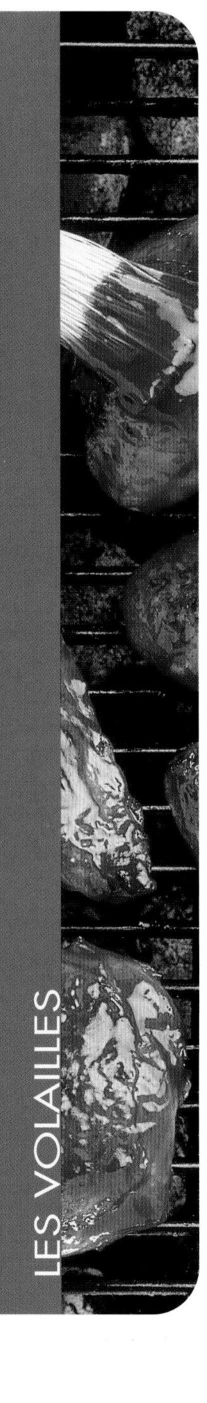

Poulet mariné grillé

8 cuisses de poulet entières (environ 3,5 lb)
6 onces de limonade concentrée congelée, dégelée
2 cuillères à table de vinaigre de vin blanc
1 cuillère à table de zeste de citron
2 gousses d'ail hachées finement

1. Retirez la peau et tout gras visible du poulet. Placez le poulet dans un plat de cuisson en verre de 13 x 9 po. Combinez tous les autres ingrédients dans un petit bol ; mélangez bien. Versez sur le poulet ; retournez pour bien l'enduire. Couvrez ; marinez pendant 3 heures ou jusqu'au lendemain au réfrigérateur, en tournant de temps à autre.

2. Pour empêcher le poulet de coller, vaporisez un aérosol de cuisson antiadhésif sur le grille. Préparez les charbons pour la cuisson sur le gril.

3. Déposez le poulet sur la grille à 4 pouces de distance des charbons de température moyenne-élevée. Faites griller de 20 à 30 minutes ou jusqu'à ce que le poulet ne soit plus rose près de l'os, en le retournant à l'occasion. Garnissez de morceaux d'endives et de zeste de citron, si désiré. *Donne 8 portions*

Dinde grillée

Sauce à l'ail et à la sauge (page 130)
1 dinde entière (9 à 13 livres), fraîche ou décongelée
Sel et poivre noir moulu
3 citrons coupés en deux (facultatif)

Préparez la sauce à l'ail et à la sauge. Retirez le cou et les abats de la dinde. Rincez la dinde à l'eau froide, tamponnez avec du papier essuie-tout. Assaisonnez la cavité de la dinde de sel et poivre ; placez les citrons dans la cavité, si désiré. Badigeonnez légèrement la surface extérieure de la dinde de sauce à l'ail et à la sauge. Tirez la peau pour refermer l'ouverture et fixez avec une brochette. Placez l'extrémité des ailes sous le dos et attachez les cuisses ensemble à l'aide d'une ficelle de boucher. Insérez le thermomètre à viande calorifuge dans la portion la plus épaisse du haut de cuisse, sans toucher l'os. Répartissez des briquettes de chaque côté d'un gros bac métallique rectangulaire. Versez de l'eau chaude dans le bac pour le remplir à moitié. Déposez la dinde, côté poitrine vers le haut, au-dessus du bac. Faites griller la dinde pendant 9 à 13 minutes par livre ou jusqu'à ce que le thermomètre enregistre une température interne de 180 °F, en badigeonnant toutes les 20 minutes avec le reste de la sauce à l'ail et à la sauge. Ajoutez quelques briquettes des deux côtés du feu chaque heure ou au besoin afin de maintenir une température constante*. Laissez la dinde reposer pendant une quinzaine de minutes avant de la couper. Réfrigérez les restes rapidement.

Donne de 8 à 10 portions

**Pour les plus grosses dindes, ajoutez 15 briquettes toutes les 50 à 60 minutes.*

suite à la page 130

Poulet mariné grillé

Dinde grillée, *suite*

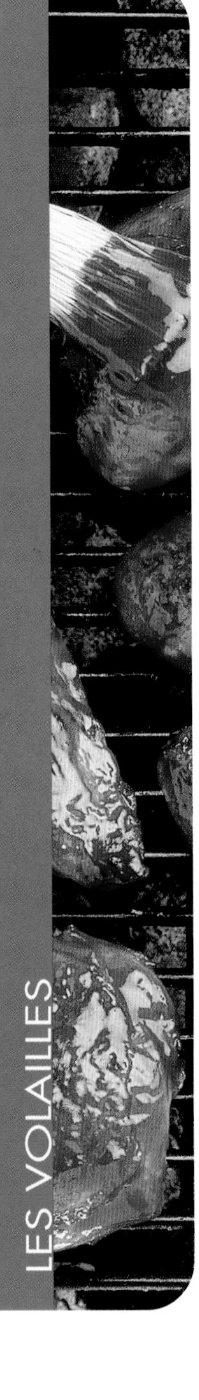

Sauce à l'ail et à la sauge

Zeste et jus de 1 citron
3 cuillères à table d'huile d'olive
2 cuillères à table de sauge fraîche hachée ou 1½ cuillère à thé de sauge séchée
2 gousses d'ail hachées finement
½ cuillère à thé de sel
¼ cuillère à thé de poivre noir moulu

Combinez tous les ingrédients dans une petite casserole ; faites cuire et mélangez sur un feu moyen pendant 4 minutes. Utilisez-la pour badigeonner la dinde ou le poulet.

Donne environ ½ tasse.

Hamburgers asiatiques à la dinde

1 livre de dinde hachée
1⅓ tasse d'oignons frits
1 œuf
½ tasse de châtaignes d'eau finement coupées
¼ tasse de chapelure ou de miettes de pain sec
3 cuillères à table de sauce orientale pour sautés ou de sauce teriyaki
1 cuillère à table de sauce piquante au piment de Cayenne
2 cuillères à thé de gingembre frais râpé ou ½ cuillère à thé de gingembre moulu
4 pains à sandwich
Feuilles de laitue déchiquetées

Combinez la dinde, 1 tasse d'oignons frits, l'œuf, les châtaignes d'eau, les miettes de pain ou la chapelure, la sauce à sauté ou la sauce teriyaki, la sauce piquante et le gingembre dans un grand bol. Façonnez 4 galettes.

Faites griller les galettes sur un feu moyen pendant 10 minutes ou jusqu'à ce que la dinde ne soit plus rose au centre, en les tournant une fois. Servez sur les pains. Garnissez de l'autre ⅓ de tasse d'oignons et de laitue.

Donne 4 portions

Temps de préparation : 15 minutes
Temps de cuisson : 10 minutes

Hamburger asiatique à la dinde

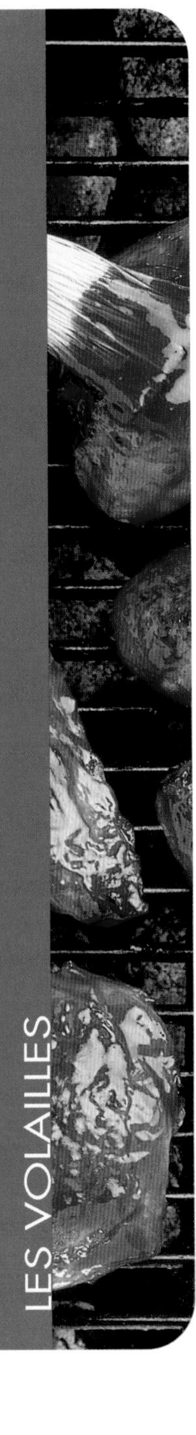

Poulet à l'ail grillé

1 enveloppe de mélange à soupe aux fines herbes avec ail, du commerce
3 cuillères à table d'huile d'olive
4 demi-poitrines de poulet désossées sans peau (environ 1,25 lb)

1. Dans un bol moyen, combinez le mélange à soupe avec l'huile.
2. Ajoutez le poulet ; retournez pour bien enrober.
3. Faites griller jusqu'à ce que le poulet soit bien cuit.

Donne 4 portions

Dinde barbecue et sa relish aux ananas

2 livres de rôti de poitrine de dinde désossée sans peau

Marinade
Zeste et jus de 1 orange
2 cuillères à table de vinaigre de vin rouge
4½ cuillères à thé d'origan séché écrasé
1 cuillère à table de cassonade tassée
2 cuillères à thé d'huile végétale
5 gousses d'ail pressées
Sel et poivre au goût

Relish à l'ananas
1 ananas frais
1 tomate moyenne épépinée et coupée
1 petit oignon rouge haché finement
½ tasse de pruneaux dénoyautés et coupés en morceaux
¼ tasse de coriandre fraîche haché
2 cuillères à table de jus de lime
1 cuillère à table de vinaigre blanc
1 cuillère à table de câpres égouttées

- Faites 4 entailles de 1 pouce de chaque côté de la dinde. Déposez dans une cocotte.
- Combinez les ingrédients de la marinade dans un petit bol. Versez sur la dinde. Couvrez ; marinez pendant 30 minutes ou jusqu'au lendemain au réfrigérateur, en tournant de temps à autre.

suite à la page 134

Poulet à l'ail grillé

Dinde barbecue et sa relish aux ananas, *suite*

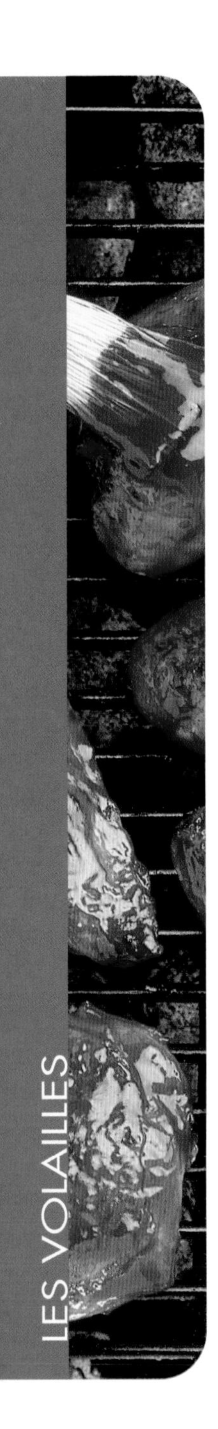

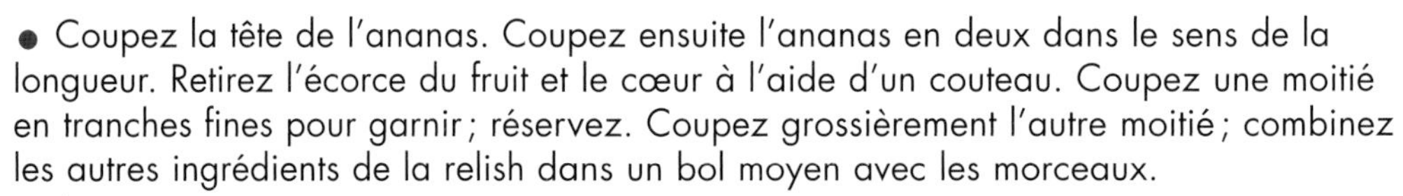

- Coupez la tête de l'ananas. Coupez ensuite l'ananas en deux dans le sens de la longueur. Retirez l'écorce du fruit et le cœur à l'aide d'un couteau. Coupez une moitié en tranches fines pour garnir ; réservez. Coupez grossièrement l'autre moitié ; combinez les autres ingrédients de la relish dans un bol moyen avec les morceaux.
- Égouttez la dinde ; faites bouillir la marinade pendant une minute. Déposez la dinde 6 pouces au-dessus des charbons de température moyenne. Faites griller à découvert en retournant et en badigeonnant toutes les 5 minutes de marinade pendant 30 à 35 minutes ou jusqu'à ce que le thermomètre enregistre une température de 170 °F. Laissez reposer pendant 5 minutes. Tranchez ; servez avec la relish à l'ananas. Garnissez avec les tranches d'ananas réservées. *Donne 6 portions*

Poulet au citron et légumes

8 onces de spaghettis
1 livre de poitrines de poulet désossées sans peau
1 gros poivron vert coupé en deux
1 gros poivron rouge coupé en deux
1 courge d'été jaune moyenne coupée en deux sur la longueur
½ tasse de persil frais haché finement
⅓ tasse de vin blanc sec
2 cuillères à table de jus de citron
2 cuillères à table d'huile d'olive
3 gousses d'ail hachées finement
2 cuillères à thé de zeste de citron râpé finement
¼ cuillère à thé de sel
¼ cuillère à thé de poivre noir moulu

1. Faites cuire les pâtes conformément aux instructions de l'emballage en omettant toutefois le sel. Égouttez ; réservez.

2. Vaporisez la grille d'un gras de cuisson antiadhésif. Préparez les charbons pour la cuisson sur le gril. Placez le poulet, les poivrons et la courge sur la grille de 5 à 6 pouces des charbons moyennement chauds. Faites griller de 10 à 12 minutes ou jusqu'à ce que le poulet ne soit plus rose au centre et que les légumes soient moelleux au toucher. Retirez du gril. Laissez tiédir ; coupez en morceaux de ½ po.

3. Combinez le persil, le vin, le jus de citron, l'huile, l'ail, le zeste de citron, le sel et le poivre dans un bol moyen. Mélangez le poulet cuit et les légumes avec ⅓ de tasse de sauce. Ajoutez le reste de sauce aux pâtes. Déposez le poulet et les légumes sur les pâtes ; servez. *Donne 8 portions*

Temps de préparation : 15 minutes
Temps de cuisson : 15 minutes

Poulet au citron et légumes

Poulet glacé à la moutarde et au miel

1 poulet entier (4 à 5 lb)
1 cuillère à table d'huile végétale
¼ tasse de miel
2 cuillères à table de moutarde de Dijon
1 cuillère à table de sauce soya à teneur réduite en sel
½ cuillère à thé de gingembre moulu
⅛ cuillère à thé de poivre noir moulu
Pincée de sel

1. Préparez le barbecue pour une cuisson indirecte.

2. Retirez les abats du poulet ; réservez pour un autre usage ou jetez. Rincez le poulet sous l'eau froide du robinet, tamponnez avec du papier essuie-tout. Tirez la peau pour refermer l'ouverture du cou et fixez avec une brochette de métal. Placez les ailes sous le dos et attachez les cuisses ensemble à l'aide d'une ficelle de boucher mouillée. Badigeonnez légèrement le poulet d'huile.

3. Combinez le miel, la moutarde, la sauce soya, le gingembre, le poivre et le sel dans un petit bol ; réservez.

4. Déposez le poulet, côté poitrine vers le haut, au-dessus du bac sur la grille. Faites griller à feu couvert sur un feu moyen-élevé pendant 1 h 30 ou jusqu'à ce que la température interne atteigne 180 °F lorsque le thermomètre à viande est inséré dans la portion la plus épaisse de la cuisse, sans toucher l'os. Badigeonnez du mélange au miel toutes les 10 minutes au cours des 30 dernières minutes de cuisson*.

5. Transférez le poulet sur la planche à découper ; recouvrez-le d'une feuille d'aluminium. Laissez reposer pendant 15 minutes avant de découper. La température interne continuera d'augmenter de 5 °F à 10 °F pendant le temps d'attente.

Donne 4 ou 5 portions

**Si vous utilisez un barbecue dont la chaleur vient d'un seul côté (plutôt que d'autour d'un bac récepteur), faites tourner le poulet de 180° après 45 minutes de cuisson.*

Poulet glacé à la moutarde et au miel

Roulés de poulet

¼ tasse de jus de citron
1 cuillère à table d'huile d'olive
¼ cuillère à thé de sel
¼ cuillère à thé de poivre noir
4 poitrines de poulet désossées sans peau
¼ tasse de persil italien frais haché finement
2 cuillères à table de parmesan rapé
2 cuillères à table de ciboulette fraîche hachée
1 cuillère à thé de zeste de citron finement râpé
2 grosses gousses d'ail émincées
16 cure-dents trempés dans l'eau pendant 15 minutes

1. Combinez le jus de citron, l'huile, le sel et le poivre dans une cocotte de 11 x 7 po. Pilonnez le poulet jusqu'à l'obtention d'une épaisseur de ⅜ de po. Déposez le poulet dans le mélange au citron; tournez pour enrober. Couvrez; faites mariner au réfrigérateur pendant au moins 30 minutes.

2. Préparez le barbecue pour une cuisson directe.

3. Combinez le persil, le fromage, la ciboulette, le zeste de citron et l'ail dans un petit bol. Jetez la marinade ayant servi avec le poulet. Répartissez ¼ du mélange de persil sur chaque poitrine de poulet en laissant un pouce sur les bords. En commençant par l'extrémité la plus étroite, roulez le poulet pour enfermer la garniture puis fixez le rouleau avec les cure-dents.

4. Faites griller le poulet à feu moyen-élevé couvert pendant environ 2 minutes de chaque côté ou jusqu'à ce que le poulet soit brun doré. Transférez le poulet sur une section de la grille à feu bas. Faites griller à couvert pendant environ 5 minutes ou jusqu'à ce que le poulet ne soit plus rose au centre.

5. Retirez les cure-dents, tranchez chaque poitrine de poulet en 5 ou 6 morceaux.

Donne 4 portions

Roulé de poulet

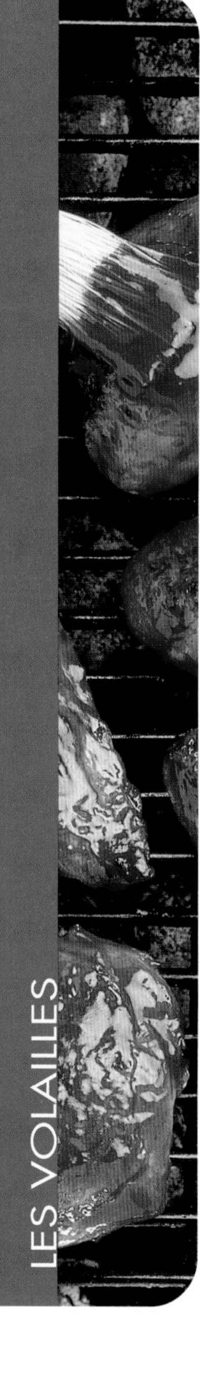

Sandwichs roulés au poulet grillé et à la salsa fraîche

1 ¼ tasse de marinade aux herbes et à l'ail avec jus de citron
4 poitrines de poulet désossées sans peau (environ 1 lb)
1 grosse tomate coupée
1 boîte (4 oz) de piments verts en dés égouttés (facultatif)
¼ tasse d'oignons verts hachés finement
1 cuillère à table de vinaigre de vin rouge
1 cuillère à table de coriandre fraîche hachée
½ cuillère à thé de sel d'ail
4 tortillas de farine format burrito ou fajita, réchauffées pour être amollies

Dans un grand sac de plastique refermable, combinez 1 tasse de marinade aux herbes et à l'ail avec le poulet. Refermez le sac et laissez mariner au réfrigérateur pendant au moins 30 minutes. Dans un bol moyen, combinez la tomate, les piments, les oignons, le reste de la marinade, le vinaigre, la coriandre et le sel d'ail ; mélangez bien. Recouvrez la salsa et réfrigérez pendant 30 minutes ou jusqu'à ce qu'elle soit refroidie. Retirez le poulet du sac ; jetez la marinade utilisée. Faites griller le poulet pendant 10 à 15 minutes ou jusqu'à ce qu'il soit bien cuit et retournez-le une fois à mi-cuisson. Tranchez le poulet en languettes et déposez-le sur les tortillas. Déposez à la cuillère la salsa et roulez pour refermer. Servez immédiatement.

Donne 4 portions

Idée-repas : Une excellente recette pour les pique-niques et les repas à l'extérieur. Enroulez chaque tortilla préparée de pellicule plastique et gardez au froid jusqu'au moment de servir. Vous pouvez aussi préparer les roulés au moment de les servir à l'extérieur.

Temps de préparation : 12 à 15 minutes
Temps de marinade : 30 minutes
Temps de cuisson : 10 à 15 minutes

Sandwich roulé au poulet grillé et à la salsa fraîche

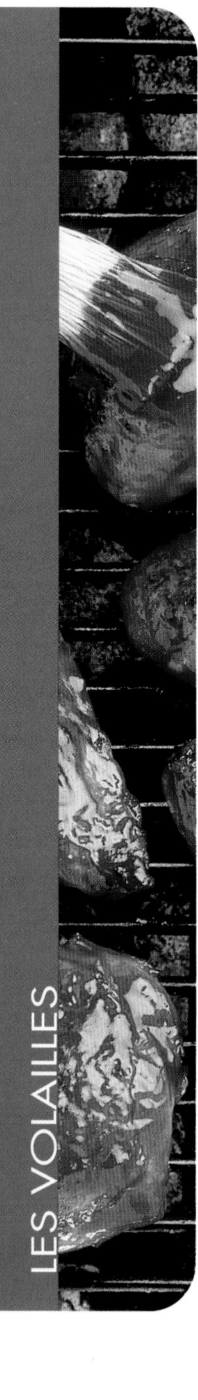

Poulet grillé et salade de melon

¾ tasse de marmelade d'oranges
¼ tasse plus 2 cuillères à table de vinaigre de vin blanc
2 cuillères à table de sauce soya à teneur réduite en sel
1 cuillère à table de gingembre frais râpé
½ cantaloup coupé en tranches de 1 po d'épaisseur
½ melon miel coupé en tranches de 1 po d'épaisseur
4 poitrines de poulet désossées sans peau
2 cuillères à table d'huile d'olive
2 cuillères à table de coriandre fraîche hachée finement
1 cuillère à thé de sauce au piment jalapeño
10 tasses de feuilles de laitues mélangées
4 tasse de fraises fraîches coupées en deux

1. Combinez ⅓ de tasse de marmelade, 2 cuillères à table de vinaigre, la sauce soya et le gingembre. Badigeonnez ce mélange sur les melons, puis sur le poulet. Répartissez les morceaux de melon dans un panier à légumes ou enfilez-les sur des brochettes.

2. Faites griller le poulet sur un feu chaud pendant 5 à 7 minutes ou jusqu'à ce que la chair ne soit plus rose. Faites griller les melons à couvert pendant 2 à 3 minutes de chaque côté. Réfrigérez toute la nuit.

3. Combinez le reste de marmelade, ¼ tasse de vinaigre, l'huile, la coriandre et la sauce au piment jalapeño dans un pot ou un contenant hermétique ; secouez pour bien mélanger.

4. Répartissez les feuilles de laitue, le poulet, le melon et les fraises sur des assiettes de service ; déposez le mélange à base de marmelade à l'aide d'une cuillère sur le tout.

Donne 4 portions

Astuce : Pour donner votre touche personnelle à la recette, garnissez avec des légumes frais tels des poivrons rouges et verts ou encore des piments jalapeños.

À préparer jusqu'à une journée d'avance avant de servir.

Temps de préparation : 5 minutes

Poulet grillé et salade de melon

Poulet à la rôtissoire badigeonné de pesto

2 jeunes poulets frais à rôtir
½ tasse d'huile d'olive
½ tasse de vinaigre balsamique
¼ tasse d'origan frais haché
¼ tasse de persil frais haché
2 cuillères à table de romarin frais haché
2 cuillères à table de thym frais haché

Combinez les ingrédients, sauf le poulet, dans un petit bol. Trempez le pinceau dans le mélange aux herbes ; badigeonnez le poulet toutes les 30 minutes pendant les 2 premières heures de rôtissage. Badigeonnez toutes les 15 minutes pendant la dernière heure de rôtissage. Faites rôtir le poulet jusqu'à ce que la température interne atteigne 180 °F au niveau de la cuisse et que la chair ne soit plus rose.

Donne 16 portions

Astuce : Pour créer un pinceau aromatique en herbes, attachez des tiges de romarin, de thym, d'origan et de persil avec de la ficelle de cuisine. Utilisez comme pinceau pour le pesto.

Temps de préparation : 15 minutes plus le temps de rôtissage

Poulet à la rôtissoire badigeonné de pesto

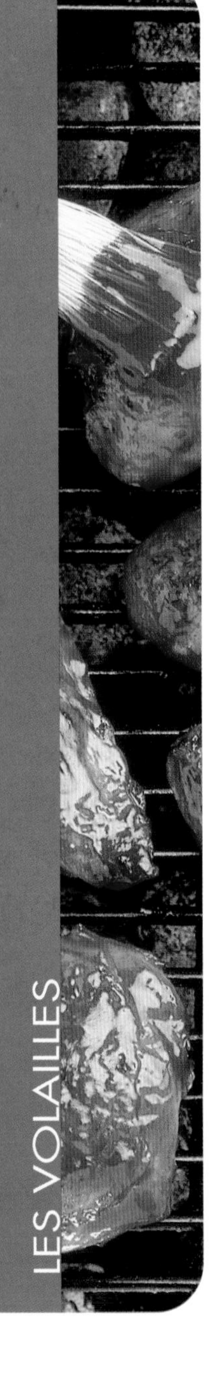

Poulet au gingembre grillé avec riz à l'ananas et à la noix de coco

1 boîte (20 oz) d'ananas en tranches dans son jus
⅔ tasse de riz blanc
½ tasse de noix de coco râpée non sucrée
4 poitrines de poulet désossées sans peau (environ 1 lb)
1 cuillère à table de sauce soya
1 cuillère à thé de gingembre moulu

1. Égouttez le jus de la boîte d'ananas dans une tasse à mesurer. Réservez 2 cuillères à table de jus. Ajoutez suffisamment d'eau pour obtenir 2 tasses.

2. Cuisez et mélangez le riz et la noix de coco dans une casserole moyenne sur un feu moyen pendant 3 à 4 minutes ou jusqu'à ce que le mélange brunisse légèrement. Ajoutez le jus ; couvrez et amenez à ébullition. Réduisez à feu doux ; cuisez pendant 15 minutes ou jusqu'à ce que le riz soit tendre et que le liquide soit absorbé.

3. Pendant que le riz cuit, combinez le poulet, le jus réservé, la sauce soya et le gingembre dans un bol moyen ; mélangez bien.

4. Faites griller le poulet pendant 6 minutes puis retournez-le. Ajoutez l'ananas sur le gril. Faites cuire de 6 à 8 minutes ou jusqu'à ce que le poulet ne soit plus rose au centre. Tournez l'ananas après 3 minutes.

5. Transférez le riz dans quatre assiettes de service ; servez avec le poulet et l'ananas.

Donne 4 portions

Temps de préparation et de cuisson : 22 minutes

Plus de 76 % des foyers québécois possèdent un barbecue.

Poulet au gingembre grillé avec riz à l'ananas et à la noix de coco

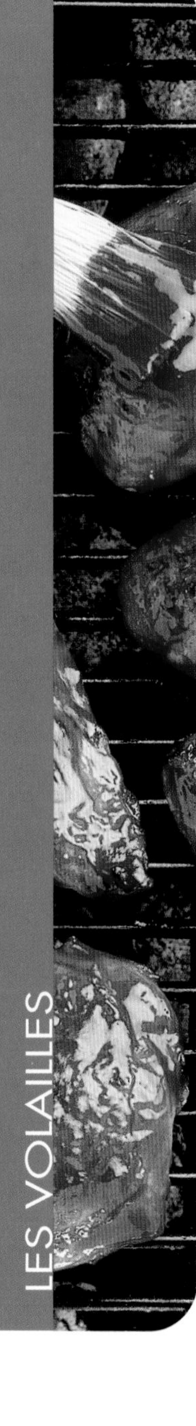

Poitrines de poulet grillées avec sauce piquante aux arachides

8 grosses demi-poitrines de poulet désossées sans peau

Marinade

½ tasse de sauce soya
⅓ tasse de jus de lime
¼ tasse d'huile végétale
2 cuillères à table de beurre d'arachide crémeux ou extra croquant

1 cuillère à table de cassonade
2 grosses gousses d'ail émincées
½ cuillère à thé de sel
½ cuillère à thé de piment de Cayenne

Sauce

1 tasse de beurre d'arachide crémeux ou extra croquant
1 tasse de lait de coco non sucré
¼ tasse de jus de lime
3 cuillères à table de sauce soya
2 cuillères à table de cassonade foncée
2 cuillères à thé de gingembre frais haché
2 gousses d'ail hachées finement
¼ cuillère à thé de piment de Cayenne, ou au goût
½ tasse de bouillon de poulet
½ tasse de crème épaisse
Coriandre fraîche hachée pour décorer

Lavez, coupez et pilonnez le poulet pour atteindre une épaisseur de ¼ de po. Combinez le poulet avec les ingrédients de la marinade dans un sac de plastique. Faites mariner pendant une heure ou toute la nuit au réfrigérateur. Combinez les ingrédients de la sauce dans une casserole sur un feu moyen. Chauffez pendant 15 minutes en remuant sans arrêt. Ajoutez en fouettant le bouillon et la crème. Faites chauffer pendant 1 minute. Réservez. Préchauffez le barbecue. Retirez le poulet de la marinade et déposez-le sur la grille chaude. Faites griller de 4 à 6 minutes de chaque côté ou jusqu'à ce que la chair ne soit plus rose. Servez chaud et arrosé de la sauce aux arachides. Parsemez de coriandre.

Donne 8 portions

Poitrines de poulet grillées avec sauce piquante aux arachides

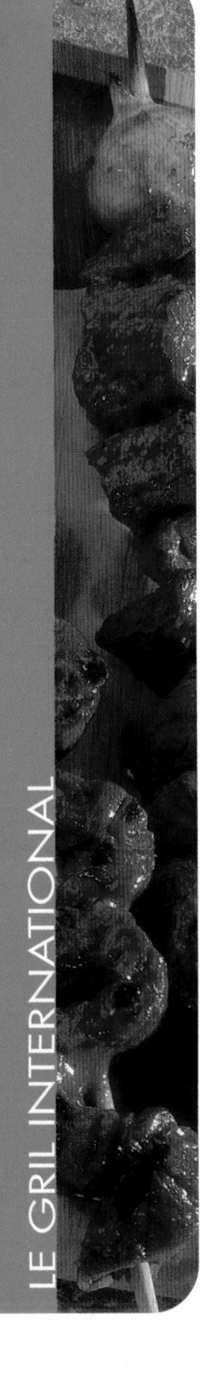

Brochettes de poulet satay à la thaï

1 livre de poitrines de poulet désossées sans peau
1/3 tasse de sauce soya
2 cuillères à table de jus de lime
2 gousses d'ail hachées finement
1 cuillère à thé de gingembre frais râpé
3/4 cuillère à thé de flocons de piment
2 cuillères à table d'eau
3/4 tasse de lait de coco non sucré
1 cuillère à table de beurre d'arachide crémeux
4 oignons verts coupés en morceaux de 1 po

1. Coupez le poulet en diagonale en languettes de 3/8 de pouce d'épaisseur ; déposez-les dans un plat de cuisson peu profond.

2. Combinez la sauce soya, le jus de lime, l'ail, le gingembre et les flocons de piment dans un petit bol. Réservez 3 cuillères à table du mélange ; couvrez et réfrigérez. Ajoutez de l'eau au reste du mélange. Versez sur le poulet ; remuez pour bien l'enduire. Couvrez ; marinez au réfrigérateur de 30 minutes à 2 heures en remuant le mélange de temps à autre.

3. Faites tremper 8 brochettes de bambou (de 10 à 12 po) pendant 20 minutes dans l'eau froide pour les empêcher de brûler ; égouttez. Préparez le barbecue pour une cuisson directe.

4. Pendant ce temps, pour faire la sauce aux arachides, combinez le lait de coco, 3 cuillères à table du mélange de sauce soya réservé et le beurre d'arachide dans une petite casserole. Amenez à ébullition à feu moyen-élevé en remuant sans arrêt. Réduisez le feu et laissez mijoter à découvert pendant 2 à 4 minutes ou jusqu'à ce que la sauce épaississe. Gardez au chaud.

5. Égouttez le poulet ; réservez la marinade. Enfilez 3 ou 4 languettes de poulet en accordéon sur chaque brochette en alternant avec des morceaux d'oignon vert. Badigeonnez le poulet et les oignons avec la marinade réservée. Jetez le reste de marinade.

6. Déposez les brochettes sur la grille. Faites griller les brochettes à découvert sur un feu moyen-élevé pendant 6 à 8 minutes ou jusqu'à ce que le poulet ne soit plus rose, en le tournant à la mi-cuisson. Servez avec la sauce aux arachides chaude comme trempette.

Donne 4 portions

Brochettes de poulet satay à la thaï

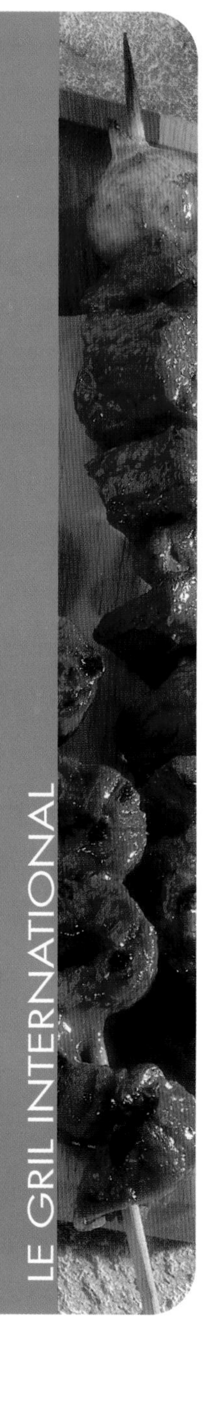

Saumon teriyaki avec salade de chou asiatique

4 cuillères à table de sauce teriyaki à teneur réduite en sel
2 filets de saumon (5 à 6 oz) sans arête avec la peau (1 po d'épaisseur)
2½ tasses de mélange à salade de chou ou de chou râpé
1 tasse de pois mange-tout frais ou surgelés, coupés en longueur pour créer de fines languettes
½ tasse de radis tranchés finement
2 cuillères à table de marmelade d'oranges
1 cuillère à thé d'huile de sésame foncée

1. Préparez le barbecue pour une cuisson directe. Déposez à la cuillère deux cuillères à table de sauce teriyaki sur le côté sans peau du saumon. Laissez reposer pendant que vous préparez le mélange de légumes.

2. Combinez le chou, les pois mange-tout et les radis dans un grand bol. Combinez les 2 autres cuillères à table de sauce teriyaki, la marmelade et l'huile de sésame dans un petit bol. Ajoutez le chou et mélangez bien.

3. Faites griller le saumon, côté sans peau vers le bas, à feu moyen sans le tourner pendant 6 à 10 minutes, soit jusqu'à ce que le centre soit opaque.

4. Déposez la salade de chou dans les assiettes de service ; ajoutez le saumon.

Donne 2 portions

Le mot barbecue s'écrit aussi souvent « BBQ » et est parfois abrégé par « Q » ou « Cue ».

Saumon teriyaki avec salade de chou asiatique

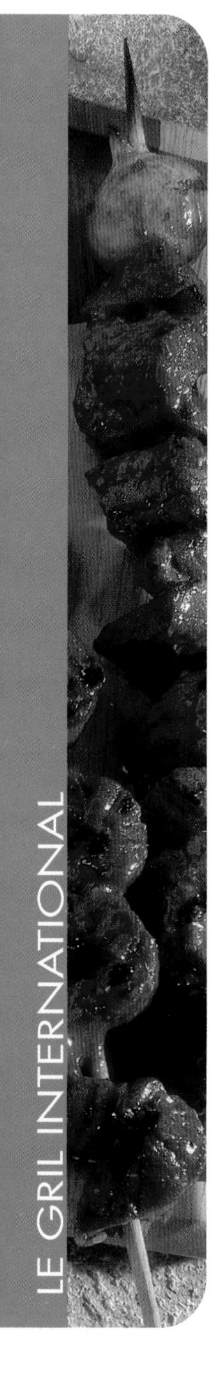

Saté de porc javanais

1 livre de longe de porc désossée
½ tasse d'oignon haché fin
2 cuillères à table de beurre d'arachide
2 cuillères à table de jus de
2 cuillères à table de sauce soya
1 cuillère à table de cassonade
1 cuillère à table d'huile végétale
1 gousse d'ail hachée finement
Trait de sauce au piment

Coupez le porc en cubes de ½ po; déposez dans un plat peu profond. Au mélangeur ou au robot culinaire, mélangez les autres ingrédients jusqu'à l'obtention d'une consistance lisse. Versez sur le porc. Couvrez et marinez au réfrigérateur pendant 10 minutes. Enfilez le porc sur les brochettes. (Si vous utilisez des brochettes de bambou, faites-les tremper dans l'eau pendant 1 heure, ce qui les empêchera de brûler.)

Faites griller pendant 10 à 12 minutes en tournant à l'occasion jusqu'à ce que le porc soit cuit. Servez avec du riz chaud, si désiré. *Donne 4 portions*

Fajitas sur brochette

1 livre de poitrines de poulet désossées sans peau coupées en morceaux de 1 po
½ poivron vert coupé en morceaux de ½ po
½ oignon en tranches de ½ po
16 tomates cerises
8 brochettes de bambou trempées dans l'eau pendant 30 minutes
1 tasse de marinade à la lime (de préférence avec jus de lime)
8 tortillas de farine de style fajita, chauffées pour être assouplies

Répartissez également le poulet, le poivron, l'oignon et les tomates sur les brochettes. Badigeonnez généreusement et souvent avec la marinade à la lime pendant la cuisson. Faites cuire le poulet pendant 18 minutes ou jusqu'à ce qu'il soit bien cuit. Placez les brochettes cuites sur les tortillas chaudes. Retirez les brochettes et roulez les tortillas pour bien enfermer le contenu. Servez immédiatement. *Donne 8 fajitas*

Temps de préparation: 20 minutes
Temps de cuisson: 15 à 18 minutes

Saté de porc javanais

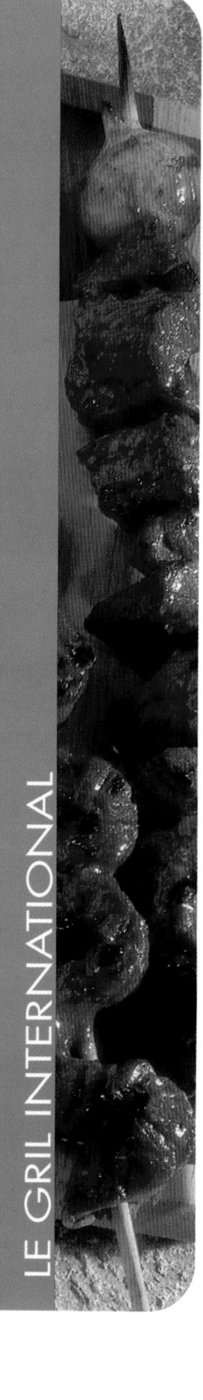

Carne Asada

1½ livre de bifteck de bœuf de haut de surlonge
¼ tasse de jus de citron
2 cuillères à table d'huile végétale
1 cuillère à table de coriandre fraîches hachée (facultatif)
2 cuillères à thé de sel d'ail
1 cuillère à thé de poivre aromatisé
1 cuillère à thé de sel assaisonné

Placez le bifteck dans un grand sac de plastique refermable. Ajoutez les autres ingrédients et remuez bien pour mélanger ; marinez au réfrigérateur pendant un minimum de 30 minutes ou jusqu'au lendemain. Retirez le bifteck du sac ; jetez la marinade. Faites griller jusqu'au degré de cuisson souhaité ; environ 5 minutes de chaque côté. Saupoudrez un peu de sel d'ail pendant la cuisson pour ajouter de la saveur.

Donne 4 portions

Temps de préparation : 5 minutes

Espadon marocain

4 steaks d'espadon (4 onces chacun) d'environ 1 po d'épaisseur
1 cuillère à table de jus de citron
1 cuillère à table de vinaigre de cidre de pomme
2½ cuillères à thé d'huile végétale aromatisée à l'ail
1 cuillère à thé de gingembre et de paprika moulu
½ cuillère à thé de cumin moulu
½ cuillère à thé d'huile pimentée
¼ cuillère à thé de sel et de coriandre moulue
⅛ cuillère à thé de poivre noir
2⅔ tasse de semoule cuite

1. Déposez l'espadon en une seule couche dans un plat moyen peu profond. Combinez tous les autres ingrédients, sauf la semoule, dans un petit bol ; versez sur l'espadon et retournez-le pour bien enduire les deux côtés. Couvrez et réfrigérez pendant 40 minutes, en retournant une fois.

2. Jetez la marinade; faites griller l'espadon à feu découvert sur un feu moyen élevé pendant 8 à 10 minutes ou jusqu'à ce que l'espadon soit opaque, en le retournant une fois. Servez avec la semoule.

Donne 4 portions

Carne Asada

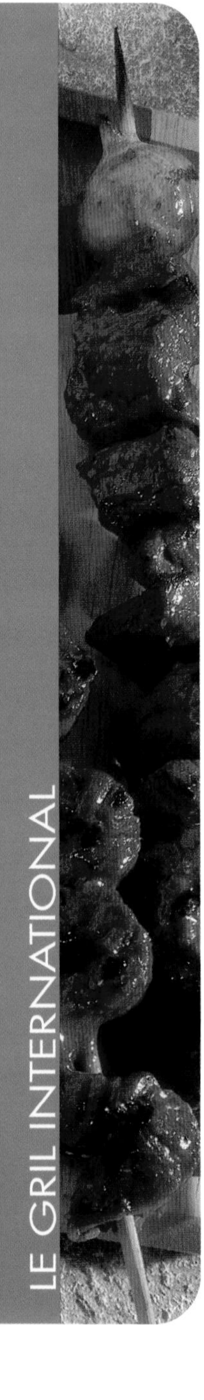

Roulés du Moyen-Orient aux légumes grillés

1 grosse aubergine (environ 1 livre) coupée en diagonale en tranches de ⅜ de po
Aérosol de cuisson antiadhésif
¾ livre de gros champignons frais
1 poivron rouge moyen épépiné et coupé en quartiers
1 poivron vert moyen épépiné et coupé en quartiers
2 oignons verts hachés
¼ tasse de jus de citron
⅛ cuillère à thé de poivre noir moulu
4 grandes tortillas de farine (10 po)
½ tasse (4 oz) de hoummos (tartinade aux pois chiches)*
⅓ tasse de coriandre fraîche hachée et légèrement tassée
12 grandes feuilles de basilic haché
12 grandes feuilles de menthe haché

**Quatre onces de fromage féta à teneur réduite en gras peuvent remplacer le hommous.*

1. Préparez le barbecue pour une cuisson directe.

2. Vaporisez légèrement l'aubergine d'aérosol de cuisson. Si les champignons sont petits, enfilez-les sur des brochettes.

3. Faites griller les poivrons, côté peau sur la grille, sur un feu élevé jusqu'à ce que la peau noircisse. Déposez-les dans un sac de papier; refermez-le. Attendez 5 minutes et retirez la peau. Faites griller l'aubergine et les champignons à feu moyen couvert pendant environ 2 minutes de chaque côté ou jusqu'à ce qu'ils soient tendres et légèrement brunis. Coupez l'aubergine et les poivrons en languettes de ½ po; coupez les champignons en quartiers. Combinez les légumes, l'oignon, le jus de citron et le poivre noir dans un bol moyen.

4. Faites griller les tortillas des deux côtés environ 1 minute ou jusqu'à ce qu'elles soient chaudes. Déposez à la cuillère ¼ du hommous, ¼ des herbes et ¼ des légumes au centre de chaque tortilla. Roulez pour bien contenir la garniture; servez immédiatement.

Donne 4 portions

Roulé du Moyen-Orient aux légumes grillés

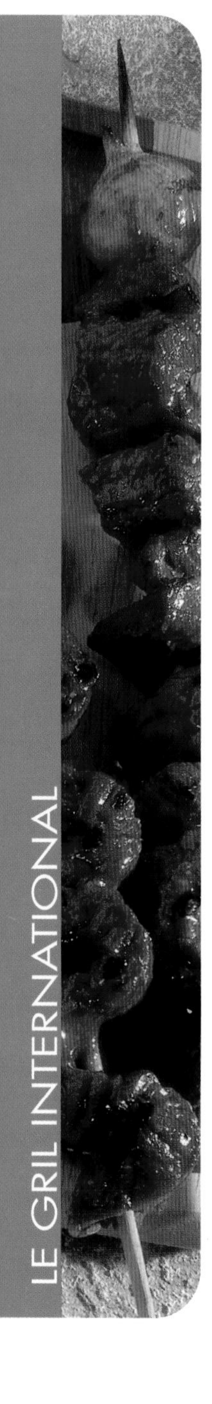

Petites côtes levées de dos à la jamaïcaine

2 cuillères à table de sucre
2 cuillères à table de jus de citron
1 cuillère à table de sel
1 cuillère à table d'huile végétale
2 cuillères à thé de poivre noir moulu
2 cuillères à thé de thym séché
¾ cuillère à thé chaque de cannelle moulue, de muscade moulue et de quatre-épices moulu
½ cuillère à thé de flocons de piment broyés
6 livres de petites côtes levées de porc de dos coupées en portions de 3 ou 4 côtes
Sauce barbecue (recette ci-dessous)

1. Pour créer la pâte d'assaisonnement, combinez tous les ingrédients à l'exception des côtes et de la sauce barbecue dans un petit bol ; mélangez bien. Étendez sur toutes les surfaces des côtes en appuyant avec les doigts pour que le mélange y colle bien. Couvrez et réfrigérez jusqu'au lendemain.
2. Préparez le barbecue pour une cuisson indirecte. Pendant que les charbons chauffent, préparez la sauce barbecue.
3. Déposez les côtes assaisonnées sur la grille, au-dessus du bac récepteur. Faites griller à feu couvert pendant 1 heure en les retournant à l'occasion. Badigeonnez généreusement les côtes de sauce barbecue. Faites griller, en les retournant à l'occasion, pendant 30 minutes ou jusqu'à ce que les côtes soient tendres et brunies.
4. Amenez la sauce barbecue à ébullition sur un feu moyen-élevé ; faites bouillir pendant 1 minute. Servez les côtes avec le reste de la sauce. *Donne 6 portions*

Sauce barbecue

2 cuillères à table de beurre
½ tasse d'oignon haché finement
1½ tasse de ketchup
1 tasse de gelée de groseilles
¼ tasse de vinaigre de cidre
1 cuillère à table de sauce soya
¼ cuillère à thé de flocons de piments broyés
¼ cuillère à thé de poivre noir moulu

Faites fondre le beurre dans une casserole moyenne sur un feu moyen-élevé. Ajoutez l'oignon ; faites cuire et mélangez jusqu'à ce que l'oignon soit tendre. Ajoutez les autres ingrédients en remuant. Réduisez le feu et faites mijoter à feu moyen-bas pendant 20 minutes, en remuant souvent. *Donne environ 3 tasses*

Petites côtes levées de dos à la jamaïcaine

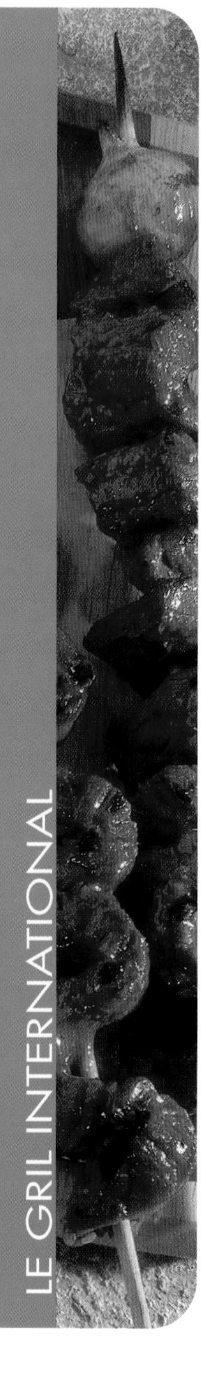

Mélange de fruits de mer à l'italienne

½ livre de grosses crevettes crues, décortiquées et déveinées
½ livre de pétoncles
1 petite courgette coupée en morceaux de ½ po
1 petit poivron rouge coupé en morceaux de ½ po
1 petit oignon rouge coupé en quartiers
12 gros champignons
1 bouteille (8 oz) de vinaigrette italienne du commerce
2 cuillères à thé d'assaisonnements à l'italienne séchés
1½ tasse de riz brun
3½ tasses de bouillon de poulet

1. Déposez les crevettes, les pétoncles, la courgette, le poivron, l'oignon, les champignons, la vinaigrette et 1 cuillère à thé d'assaisonnement à l'italienne dans un grand sac de plastique refermable. Fermez le sac hermétiquement; tournez pour bien enduire. Faites mariner au réfrigérateur pendant 30 minutes en le retournant après 15 minutes.

2. Pendant ce temps, mettez le riz, le bouillon de poulet et l'autre cuillère à thé d'assaisonnement à l'italienne dans une casserole moyenne sur un feu élevé. Amenez à ébullition; couvrez et réduisez le feu au minimum. Laissez mijoter pendant 35 minutes ou jusqu'à ce que le liquide soit absorbé.

3. Pendant ce temps également, préparez le barbecue pour une cuisson directe.

4. Égouttez les fruits de mer et les légumes; réservez la marinade. Placez les fruits de mer et les légumes dans un panier à griller ou sur une grille de cuisson pour légumes. Faites-les griller à feu moyen-élevé couvert pendant 4 à 5 minutes; retournez-les et badigeonnez de marinade. Faites griller de 4 à 5 minutes ou jusqu'à ce que les crevettes soient opaques. Servez les fruits de mer et les légumes sur le riz.

Donne de 4 à 6 portions

Mélange de fruits de mer à l'italienne

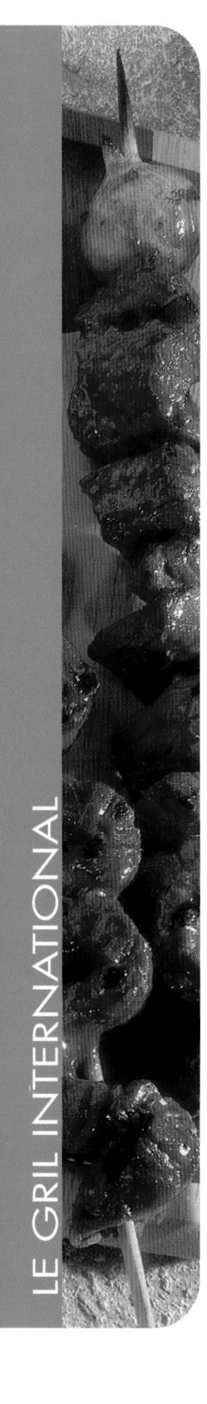

Côtelettes de porc cubaines à l'ail et à la lime

6 côtelettes de porc de ¾ po d'épaisseur sans os (environ 1½ livre)
2 cuillères à table d'huile d'olive
2 cuillères à table de jus de lime
2 cuillères à table de jus d'orange
2 cuillères à thé d'ail haché
½ cuillère à thé de sel
½ cuillère à thé de flocons de piment
2 petites oranges sans pépins, pelées et coupées
1 concombre moyen pelé, épépiné et coupé en morceaux
2 cuillères à table d'oignon haché
2 cuillères à table de coriandre fraîche haché

1. Placez le porc dans un sac de plastique refermable. Ajoutez l'huile, les jus, l'ail, ¼ cuillère à thé de sel et les flocons de piment. Refermez le sac hermétiquement et secouez pour répartir uniformément la marinade; réfrigérez jusqu'à 24 heures.

2. Pour faire la salsa, combinez les oranges, le concombre, l'oignon et la coriandre dans un petit bol; mélangez légèrement. Couvrez et réfrigérez pendant au moins 1 heure ou jusqu'au lendemain. Ajoutez le reste du sel juste avant de servir.

3. Pour compléter la recette, retirez le porc de la marinade et jetez celle-ci. Faites griller de 6 à 8 minutes de chaque côté ou jusqu'à ce que le porc ne soit plus rose au centre. Servez avec la salsa. *Donne 4 portions*

À préparer la veille de la cuisson
Temps de préparation et de cuisson: 16 minutes

Côtelette de porc cubaine à l'ail et à la lime

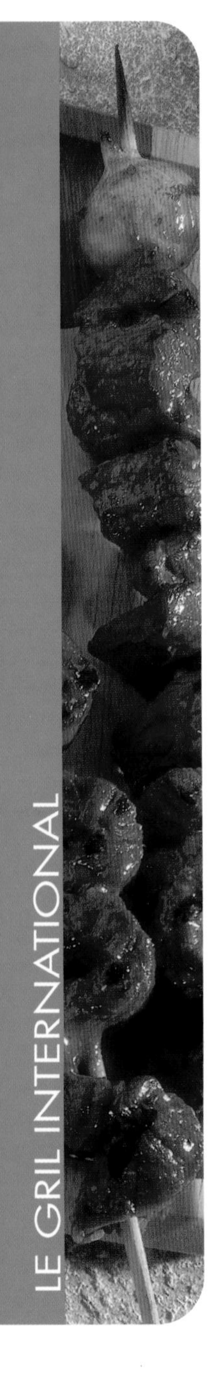

Gaspacho d'été

1 poivron rouge équeuté, épépiné et coupé en deux
4 grosses tomates (environ 2 livres) avec les têtes enlevées
1 petit oignon coupé en deux
Aérosol de cuisson antiadhésif
4 gousses d'ail
6 tranches (½ po) de pain français
1 tasse de concombre pelé et grossièrement coupé
1 tasse de cubes de pain vieux d'un jour
2 à 4 cuillères à table de coriandre fraîche hachée
2 cuillères à table de jus de citron
1 cuillère à table d'huile d'olive
½ cuillère à thé de sel
2 cubes de glace
Feuilles de coriandre pour décorer

1. Préparez les charbons pour la cuisson directe. Faites griller les moitiés du poivron, côté peau sur la grille, à feu moyen-élevé découvert pendant 15 à 25 minutes ou jusqu'à ce que la peau soit carbonisée, sans les retourner. Retirez de la grille et déposez dans un sac de plastique environ 10 minutes. Retirez la peau ; réservez et laissez refroidir.

2. Pendant ce temps, vaporisez les tomates et les moitiés d'oignon d'aérosol de cuisson. Faites griller les tomates et les oignons, côté peau sur la grille, sur un feu moyen couvert pendant 10 à 20 minutes ou jusqu'à l'obtention de marques de grilles ; tournez au besoin. Enfilez 3 gousses d'ail sur une brochette de bambou préalablement trempée. Vaporisez d'aérosol de cuisson. Faites griller l'ail sur un feu moyen couvert pendant environ 8 minutes ou jusqu'à ce qu'il brunisse et soit attendri. Retirez les légumes du barbecue et laissez-les refroidir sur une planche à découper.

3. Pendant que les légumes refroidissent, coupez l'autre gousse d'ail en deux. Vaporisez les deux côtés des tranches de pain d'aérosol de cuisson ; frottez-les avec les moitiés de gousse d'ail. Faites griller le pain des deux côtés jusqu'à ce qu'il soit grillé et doré. Laissez refroidir puis coupez en croûtons de ½ po ; réservez pour décorer.

4. Comprimez délicatement les tomates refroidies pour éliminer les graines et détacher la peau. Grattez et jetez toute trace de carbonisation excessive sur l'oignon. Coupez grossièrement le poivron, les tomates et l'oignon ; déposez-les dans le robot culinaire ou le mélangeur avec le concombre. Couvrez et malaxez jusqu'à l'obtention d'une consistance lisse. Transférez dans un grand bol.

5. Ajoutez les cubes de pain, la coriandre hachée, le jus de citron, l'huile et le sel dans le robot culinaire ; couvrez et réduisez à une consistance lisse. Combinez avec le mélange de légumes grillés ; ajoutez la glace. Versez la soupe dans des bols. Garnissez de croûtons à l'ail et de feuilles de coriandre, si désiré.

Donne 6 portions

Gaspacho d'été

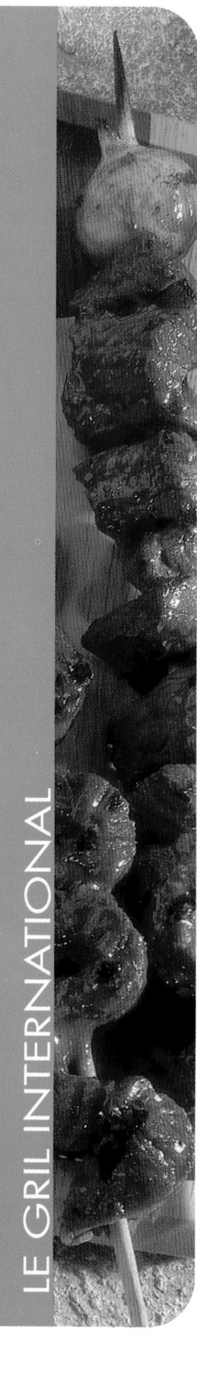

Hamburgers d'agneau à la grecque

¼ tasse de noix de pin
1 livre d'agneau haché maigre
¼ tasse d'oignon jaune haché finement
3 gousses d'ail hachée finement
¾ cuillère à thé de sel
¼ cuillère à thé de poivre noir moulu
¼ tasse de yogourt nature
¼ cuillère à thé de sucre
4 tranches d'oignon rouge (¼ po d'épaisseur)
1 cuillère à table d'huile d'olive
8 tranches de pain pumpernickel
12 fines tranches de concombre
4 tranches de tomate

1. Préparez le barbecue pour une cuisson directe. Pendant ce temps, faites chauffer une petite poêle à frire sur un feu moyen jusqu'à ce qu'elle soit chaude. Ajoutez les noix de pin et cuisez de 30 à 45 secondes jusqu'à ce qu'elles soient légèrement brunes, en secouant la poêle de temps à autre.

2. Combinez l'agneau, les noix de pin, l'oignon jaune, 2 gousses d'ail, le sel et le poivre dans un grand bol ; mélangez bien. Façonnez 4 galettes d'environ ½ po d'épaisseur et de 4 po de diamètre. Combinez le yogourt, le sucre et l'autre gousse d'ail dans un petit bol ; réservez.

3. Badigeonnez d'huile 1 côté de chaque galette et de chaque tranche d'oignon rouge ; déposez sur la grille avec le côté huilé vers le bas. Badigeonnez l'autre côté d'huile. Faites griller à feu moyen-élevé couvert pendant 8 à 10 minutes ou jusqu'à ce que la température interne atteigne 160 °F, en tournant à la mi-cuisson. Déposez le pain sur la grille pour le faire griller de 1 à 2 minutes par côté pendant les dernières minutes de cuisson.

4. Déposez les galettes sur les pains avec des tranches d'oignon rouge, 3 tranches de concombre et 1 tranche de tomate. Répartissez également le mélange au yogourt. Terminez les hamburgers avec les tranches de pain. Servez immédiatement.

Donne 4 portions

Hamburger d'agneau à la grecque

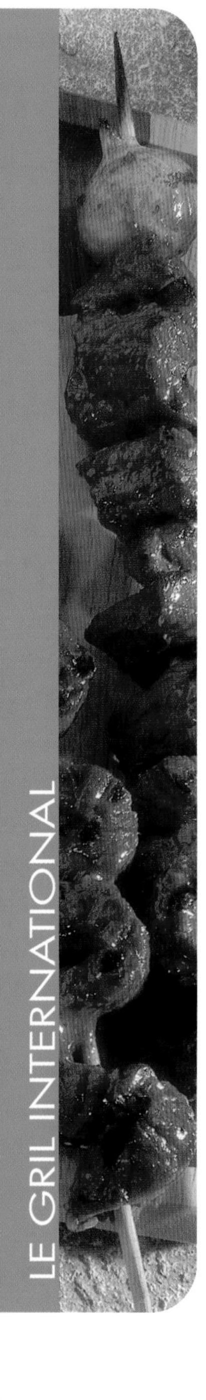

Poulet tikka (poulet grillé de style tandoori)

2 poulets découpés (3 livres chacun)
4 tasses de yogourt nature sans gras
½ tasse de sauce piquante au piment de Cayenne
1 cuillère à table de gingembre frais râpé
3 gousses d'ail hachées finement
1 cuillère à table de paprika
1 cuillère à table de graines de cumin écrasées ou 1½ cuillère à thé de cumin moulu
2 cuillères à thé de sel
1 cuillère à thé de coriandre moulue

Retirez la peau et tout gras visible du poulet. Rincez à l'eau froide et tamponnez pour sécher. Piquez le poulet en plusieurs endroits avec la pointe d'un couteau. Placez le poulet dans un sac de plastique refermable ou dans un grand bol en verre. Combinez tous les autres ingrédients dans un petit bol; mélangez bien. Versez sur les morceaux de poulet et retournez-les pour bien les enduire. Fermez le sac hermétiquement ou couvrez le bol et laissez mariner au réfrigérateur pendant au moins 1 heure ou, au maximum, toute la nuit.

Déposez le poulet sur la grille huilée; réservez la marinade. Faites griller à feu moyen pendant 45 minutes jusqu'à ce que la chair ne soit plus rose près de l'os et que le jus soit transparent. Badigeonnez souvent avec la marinade. (Ne badigeonnez pas pendant les 10 dernières minutes de cuisson.) Jetez le reste de marinade. Servez chaud.

Donne de 6 à 8 portions

Temps de préparation: 15 minutes
Temps de marinade: 1 heure
Temps de cuisson: 45 minutes

Poulet tikka (poulet grillé de style tandoori)

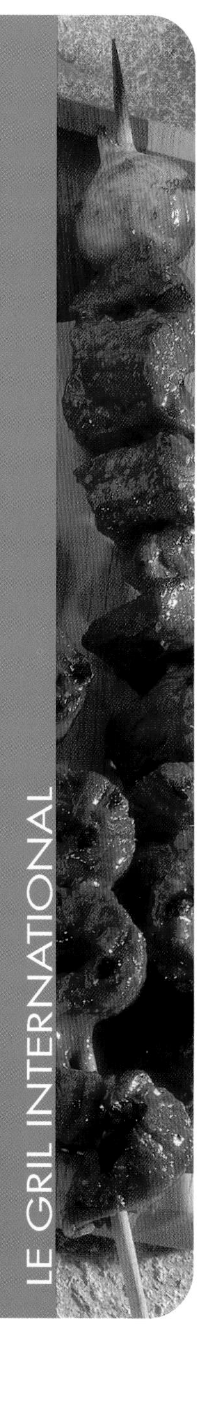

Kebabs de saucisse d'agneau à la serbe

1 livre d'agneau haché maigre
1 livre de bœuf haché très maigre
1 petit oignon haché finement
2 gousses d'ail hachées finement
1 cuillère à table de paprika hongrois
1 petit œuf légèrement battu
Sel et poivre noir moulu au goût
3 ou 4 poivrons rouges, verts ou jaunes coupés en carrés
Riz pilaf pour le service
Tranches de tomate et serpentins d'oignon vert pour décorer

1. Combinez l'agneau, le bœuf, l'oignon, l'ail, le paprika et l'œuf dans un grand bol; assaisonnez de sel et de poivre noir.

2. Déposez le mélange de viande sur la planche à découper et étendez-le pour créer un rectangle de 8 x 6 po. À l'aide d'un couteau coupant, découpez la viande en 48 carrés de 1 po; façonnez ensuite en petites saucisses oblongues.

3. Déposez les saucisses dans un récipient recouvert de papier ciré et congelez-les pendant 30 à 45 minutes ou jusqu'à fermeté. Ne congelez pas complètement. Pendant ce temps, préparez le barbecue pour une cuisson directe.

4. Enfilez en alternance 3 saucisses et 3 morceaux de poivrons sur chaque brochette métallique.

5. Faites griller sur un feu moyen-élevé pendant 5 à 7 minutes. Tournez les brochettes en prenant soin de ne pas briser les saucisses. Laissez griller pendant 5 à 7 minutes de plus jusqu'à ce que la viande soit cuite. Servez avec un riz pilaf.

6. Pour créer des serpentins d'oignon vert, coupez la racine et la portion verte foncée des oignons. À l'aide d'un ciseau coupant, faites des entailles parallèles d'environ 1½ po sur le sens de la longueur à une ou deux extrémités de l'oignon. Placez les portions coupées en éventail afin de former un pinceau. Si vous le désirez, placez les pinceaux dans un bol d'eau glacé pendant plusieurs heures: ils s'ouvriront davantage et feront des boucles. Déposez un oignon vert et plusieurs tranches de tomate dans chaque assiette, si désiré.

Donne 6 portions ou 16 brochettes

Note: Les assaisonnements peuvent être modifiés. Pourtant, la clé de l'authenticité de cette recette réside dans les portions égales de bœuf et d'agneau, mais aussi d'ail et de paprika. Vous pouvez utiliser du paprika doux si vous préférez un goût moins piquant.

Kebabs de saucisse d'agneau à la serbe

Côtelettes de porc à la jamaïcaine avec salsa de fruits tropicaux

⅔ tasse de vinaigrette italienne du commerce
⅓ tasse de sauce piquante au piment de Cayenne
⅓ tasse de jus de lime
2 cuillères à table de cassonade
2 cuillères à thé de thym séché
1 cuillère à thé de quatre-épices moulu
½ cuillère à thé de muscade moulue
½ cuillère à thé de cannelle moulue
6 côtelettes de porc d'environ 1 po d'épaisseur (environ 2½ lb)
Salsa de fruits tropicaux (recette ci-dessous)

Déposez dans le mélangeur ou le robot culinaire tous les ingrédients, sauf le porc. Couvrez et malaxez jusqu'à l'obtention d'une consistance lisse. Réservez ½ tasse de ce mélange pour la salsa aux fruits tropicaux. Placez les côtelettes de porc dans un sac de plastique refermable. Versez le reste du mélange sur les côtelettes. Fermez le sac et marinez au réfrigérateur pendant 1 heure.

Déposez les côtelettes sur la grille; réservez la marinade. Faites griller sur des charbons moyennement chauds pendant 30 minutes ou jusqu'à ce que le porc soit juteux et à peine rosé au centre. Tournez-le et badigeonnez-le souvent avec le mélange à base de vinaigrette. (Ne badigeonnez pas pendant les 5 dernières minutes de cuisson.) Servez les côtelettes avec la salsa de fruits tropicaux. Décorez au goût.

Donne 6 portions

Salsa de fruits tropicaux

1 tasse d'ananas haché finement
1 mangue mûre pelée, dénoyautée et coupée finement en morceaux
2 cuillères à table d'oignon haché finement
1 cuillère à table de coriandre fraîche hachée

Combinez tous les ingrédients et la demi-tasse de mélange à base de vinaigrette réservée dans un petit bol. Réfrigérez.

Donne environ 2½ tasses

Temps de préparation: 20 minutes
Temps de marinade: 1 heure
Temps de cuisson: 30 minutes

Côtelette de porc à la jamaïcaine avec salsa de fruits tropicaux

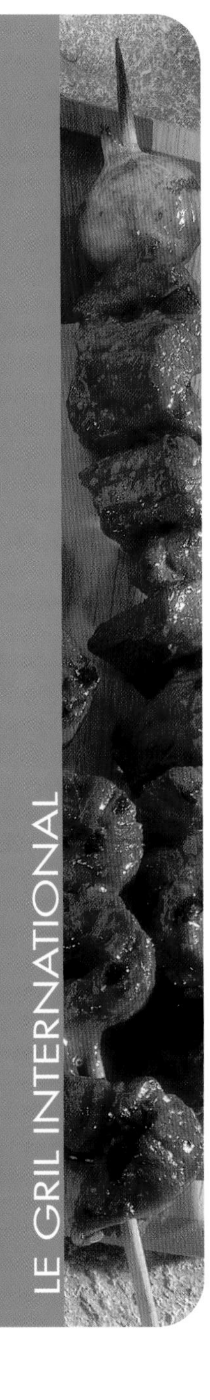

Poulet grillé avec riz et haricots noirs épicés

1 poitrine de poulet désossée sans peau (environ 4 oz)
½ cuillère à thé d'assaisonnements jerk ou jamaïcains
½ cuillère à thé d'huile d'olive
¼ tasse de poivron vert en petits dés
2 cuillères à thé de piment chipotle haché finements
¾ tasse de riz cuit chaud
½ tasse de haricots noirs en boîte rincés et égouttés
2 cuillères à table de piment doux en dés
1 cuillère à table d'olives vertes farcies au piment coupées en morceaux
1 cuillère à table d'oignon haché grossièrement
1 cuillère à table de coriandre fraîche hachée (facultatif)
Quartiers de lime

1. Frottez le poulet avec les assaisonnements jerk ou jamaïcains. Faites griller sur un feu moyen-élevé pendant 8 à 10 minutes ou jusqu'à ce que la chair ne soit plus rose.

2. Pendant ce temps, faites chauffer l'huile dans une casserole moyenne sur un feu moyen. Ajoutez le poivron et le chipotle et faites-les cuire de 7 à 8 minutes en mélangeant souvent jusqu'à ce qu'ils soient tendres.

3. Ajoutez le riz, les haricots, le piment doux d'Espagne et les olives. Cuisez, pour réchauffer le tout, soit pendant 3 minutes environ.

4. Servez le mélange à base de haricots avec le poulet. Garnissez d'oignon et de coriandre, si désiré. Garnissez de quartiers de lime.

Donne 2 portions

Poulet grillé avec riz et haricots noirs épicés

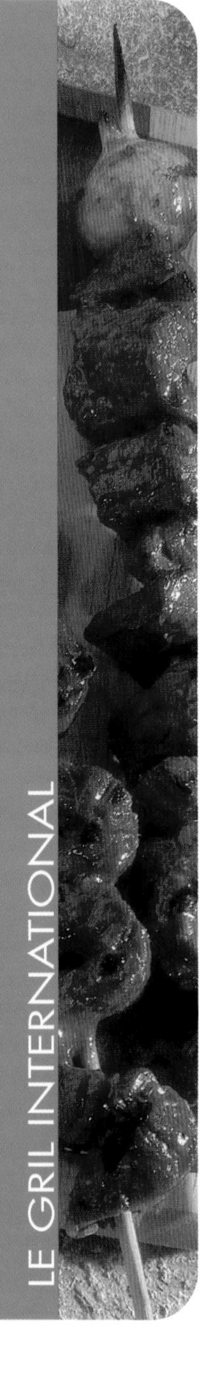

Yakitori japonais

1 livre de demi-poitrines de poulet désossées sans peau coupées en languettes de ¾ de po
2 cuillères à table de xérès ou de jus d'ananas
2 cuillères à table de sauce soya à teneur réduite en sel
1 cuillère à table de sucre
1 cuillère à table d'huile d'arachide
½ cuillère à thé d'ail haché
½ cuillère à thé de gingembre moulu
Petits oignons rouges non pelés
½ ananas frais coupé en quartiers de 1 po

1. Placez le poulet dans un sac de plastique refermable. Combinez le xérès, la sauce soya, le sucre, l'huile, l'ail et le gingembre dans un petit bol. Mélangez bien afin de dissoudre le sucre. Versez dans le sac de plastique avec le poulet; refermez le sac et retournez pour bien enrober. Réfrigérez entre 30 minutes et 2 heures en le retournant à l'occasion. (Si vous utilisez des brochettes en bambou, faites-les tremper dans l'eau pendant 20 à 30 minutes pour les empêcher de brûler.)

2. Pendant ce temps, déposez les oignons dans l'eau bouillante et laissez cuire pendant 4 minutes. Égouttez-les et refroidissez-les dans l'eau glacée pour stopper la cuisson. Coupez la racine et retirez les peaux extérieures; réservez.

3. Égouttez le poulet; réservez la marinade. Enfilez le poulet en accordéon sur les brochettes en alternant avec les oignons et l'ananas. Badigeonnez avec la marinade réservée; jetez le reste de marinade.

4. Faites griller à feu moyen-élevé découvert pendant 6 à 8 minutes ou jusqu'à ce que le poulet ne soit plus rose au centre, en le tournant à la mi-cuisson.

Donne 6 portions

Yakitori japonais

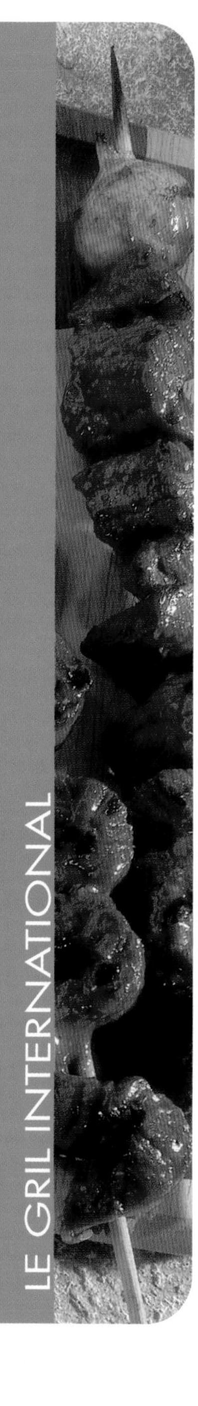

Roulés vietnamiens au bifteck grillé

1 bifteck de flanc (environ 1½ livre)
Zestes et jus de 2 citrons
6 cuillères à table de sucre
2 cuillères à table d'huile de sésame foncée
1¼ cuillère à thé de sel
½ cuillère à thé de poivre noir moulu
¼ tasse d'eau
¼ tasse de vinaigre de riz
½ cuillère à thé de flocons de piment broyés
6 grandes tortillas de farine (8 po)
6 feuilles de laitue rouge
⅓ tasse de feuilles de menthe légèrement tassées
⅓ tasse de coriandre fraîche légèrement tassée
Tranches de carambole, languettes de poivron rouge et zestes d'orange (facultatif)

Coupez le bifteck dans le sens contraire du grain, en tranches minces. Combinez les zestes de citron, le jus, 2 cuillères à table de sucre, l'huile de sésame, 1 cuillère à thé de sel et le poivre noir dans un bol moyen. Ajoutez le bœuf; retournez pour bien enrober. Recouvrez et réfrigérez pendant au moins 30 minutes. Combinez l'eau, le vinaigre, 4 cuillères à table de sucre et ¼ de cuillère à thé de sel dans une petite casserole; amenez à ébullition. Faites bouillir pendant 5 minutes sans remuer jusqu'à l'obtention d'une consistance sirupeuse. Ajoutez en mélangeant les flocons de piment; réservez.

Retirez le bœuf de la marinade; jetez la marinade. Enfilez le bœuf sur les brochettes. (Faites tremper les brochettes de bois dans l'eau chaude pendant 30 minutes pour éviter qu'elles ne brûlent.) Faites griller le bœuf sur des briquettes à température moyenne-élevée pendant 3 minutes par côté jusqu'à ce qu'il soit bien cuit. Faites griller les tortillas pour les réchauffer. Déposez la laitue, le bœuf, la menthe et la coriandre sur les tortillas; ajoutez quelques traits de mélange à base de vinaigrette. Roulez les tortillas pour bien contenir la garniture. Décorez avec la carambole, le poivron et les zestes d'orange, si désiré.

Donne 6 roulés

Roulé vietnamien au bifteck grillé

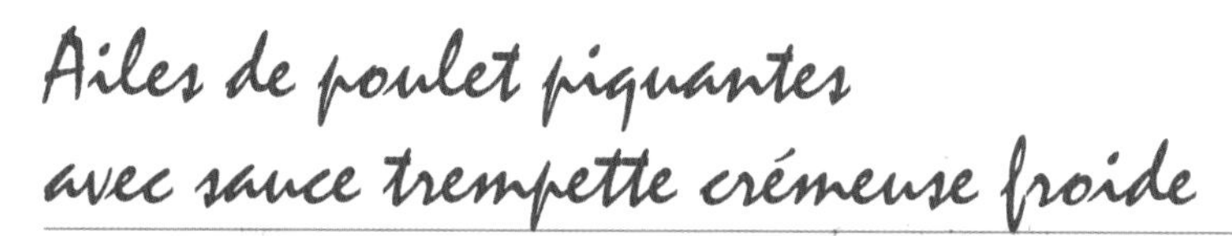

Ailes de poulet piquantes avec sauce trempette crémeuse froide

Sauce trempette crémeuse froide (recette ci-dessous)
¼ tasse d'oignon haché
2 cuillères à table d'huile d'olive
2 gousses d'ail hachées finement
1½ tasse de sauce barbecue
2 ou 3 cuillères à thé de sauce piquante au piment de Cayenne
4 livres d'ailes de poulet (environ 16 à 20 ailes)

1. Préparez le barbecue pour une cuisson directe.

2. Préparez la sauce trempette crémeuse froide; réservez.

3. Déposez l'oignon, l'huile et l'ail dans un bol moyen allant au micro-ondes. Chauffez au micro-ondes à puissance élevée pendant 1½ à 2 minutes ou jusqu'à ce que l'oignon soit tendre. Ajoutez la sauce barbecue et la sauce au piment; mélangez bien. Réservez.

4. Déposez le poulet sur la grille. Faites griller sur un feu moyen-élevé couvert pendant 25 minutes ou jusqu'à ce que le poulet ne soit plus rose et que le jus soit transparent, en le tournant après 15 minutes. Tournez-le et badigeonnez souvent avec le mélange barbecue au cours des 5 dernières minutes de cuisson. Servez avec la sauce trempette crémeuse froide. *Donne 4 portions (plat principal) ou 8 entrées*

Sauce trempette crémeuse froide

⅔ tasse de mayonnaise faible en gras
¼ tasse de vinaigrette de style ranch du commerce
3 onces de fromage feta émietté
2 cuillères à thé d'oignon vert haché finement

Mélangez tout les ingrédients dans un petit bol. Couvrez et réfrigérez jusqu'au moment de servir. *Donne environ 1¼ tasse*

Ailes de poulet piquantes avec sauce trempette crémeuse froide

Filet de bœuf avec sauce crème et Dijon

3 cuillères à table de vinaigre balsamique*
2 cuillères à table d'huile d'olive
1 rôti de filet de bœuf (environ 1 ½ à 2 livres)
Sel
3 cuillères à table de graines de moutarde
1 ½ cuillère à table de poivre blanc en grains
1 ½ cuillère à table de poivre noir en grains
Sauce crème et Dijon (recette ci-dessous)

**Vous pouvez remplacer le vinaigre balsamique par 2 cuillères à table de vinaigre de vin rouge et 1 ½ cuillère à thé de sucre.*

Combinez le vinaigre avec l'huile dans une tasse ; imbibez-en le bœuf. Assaisonnez généreusement de sel. Laissez reposer pendant 15 minutes. Pendant ce temps, écrasez grossièrement les graines de moutarde et les grains de poivre au mélangeur, au robot culinaire ou à la main à l'aide d'un mortier et d'un pilon. Roulez le bœuf dans ce mélange de grains broyés en appuyant bien pour qu'il colle à la surface du bœuf.

Huilez la grille chaude pour empêcher le bœuf de coller. Faites griller le bœuf sur un feu couvert d'intensité moyenne pendant 16 à 24 minutes (selon la taille et l'épaisseur) jusqu'à ce qu'un thermomètre à viande inséré au centre enregistre près de 145 °F pour une cuisson saignante.

(Cuisez jusqu'à atteindre une température de 160 °F pour une cuisson moyenne ou 170 °F pour une viande bien cuite. Ajoutez 5 minutes pour chaque tranche de 10 °F.) Tournez la viande à la mi-cuisson. Laissez reposer de 5 à 10 minutes avant de la trancher. Tranchez et servez avec quelques cuillerées de sauce.

Donne 6 portions

Sauce crème et Dijon

2 tasses de bouillon de bœuf
1 tasse de crème épaisse à cuisson
2 cuillères à table de beurre ramolli
1 ½ à 2 cuillères à table de moutarde de Dijon
1 à 1 ½ cuillère à table de vinaigre balsamique*
Broyez grossièrement les grains de poivre et les graines de moutarde pour décorer

**Vous pouvez remplacer le vinaigre balsamique par 2 cuillères à table de vinaigre de vin rouge et par 1 cuillère à thé de sucre.*

Amenez le bouillon de bœuf et la crème à fouetter à ébullition dans un poêlon. Faites bouillir doucement jusqu'à ce que le contenu réduise à 1 tasse : la sauce sera suffisamment épaisse pour enduire une cuillère. Retirez du feu ; ajoutez le beurre en mélangeant de petites quantités à la fois jusqu'à ce que tout le beurre soit fondu. Ajoutez en mélangeant la moutarde et le vinaigre en ajustant les quantités au goût. Saupoudrez de grains de poivre et de graines de moutarde.

Donne environ 1 tasse

Filet de bœuf avec sauce crème et Dijon

Dinde grillée à l'arôme de mesquite

2 tasses de copeaux de mesquite
1 dinde fraîche ou décongelée (10 à 12 livres)
1 petit oignon espagnol ou sucré, coupé en quartiers
1 citron en quartiers
10 tiges d'estragon frais
2 cuillères à table de beurre ou de margarine ramolli
Sel et poivre (facultatif)
¼ tasse de beurre ou de margarine fondu
2 cuillères à table de jus de citron
2 cuillères à table d'estragon frais haché ou 2 cuillères à thé d'estragon séché écrasé
2 gousses d'ail hachées finement

1. Recouvrez d'eau froide les copeaux de mesquite et laissez-les tremper pendant 20 minutes. Préparez le barbecue pour une cuisson indirecte. Rincez la dinde; tamponnez avec du papier essuie-tout pour l'assécher. Placez l'oignon, le citron et 3 tiges d'estragon dans sa cavité. Tirez la peau pour refermer l'ouverture du cou et fixez avec une brochette de métal. Placez les extrémités des ailes sous le dos et attachez les cuisses ensemble à l'aide d'une ficelle de cuisine mouillée.

2. Étendez la margarine ou le beurre ramolli sur la peau de la dinde; saupoudrez de sel et de poivre, si désiré. Insérez le thermomètre à viande au centre de la portion la plus épaisse du haut de cuisse, sans toucher l'os.

3. Égouttez les copeaux de mesquite; saupoudrez-en 1 tasse sur les briquettes. Déposez la dinde, côté poitrine vers le haut, au-dessus du bac sur la grille. Faites griller la dinde à un feu d'intensité moyenne couvert pendant 11 à 14 minutes par livre. Ajoutez de 4 à 9 briquettes de chaque côté du feu toutes les heures afin de maintenir la température et ajoutez 1 tasse de copeaux de mesquite après 1 heure de cuisson. Pendant ce temps, faites tremper les autres tiges d'estragon dans l'eau.

4. Combinez la margarine ou le beurre fondu, le jus de citron, l'estragon haché et l'ail dans un petit bol. Badigeonnez la moitié du mélange sur la dinde pendant les 30 dernières minutes de cuisson. Déposez les tiges d'estragon imbibées d'eau directement sur les charbons. Continuez de griller à couvert pendant 20 minutes. Badigeonnez avec le reste du mélange. Continuez de faire griller à couvert pendant environ 10 minutes ou jusqu'à ce que le thermomètre enregistre 185 °F.

6. Transférez la dinde sur la planche à découper et recouvrez d'une feuille d'aluminium en forme de tente. Laissez-la reposer pendant 15 minutes avant de découper. Enlevez l'oignon, le citron et les tiges d'estragon de la cavité.

Donne de 8 à 10 portions

Dinde grillée à l'arôme de mesquite

Queue de homard avec beurre savoureux

Beurre piquant, beurre aux oignons verts ou beurre chili-moutarde (recettes ci-dessous)
4 queues de homard frais ou décongelé (environ 5 oz chacune)

1. Préparez le barbecue pour une cuisson directe. Préparez le mélange de beurre de votre choix.

2. Rincez les queues de homard à l'eau froide et épongez. Créez des queues papillon en coupant le centre de la coquille et de la chair dans le sens de la longueur. Coupez sans traverser le dessous des coquilles.

Écrasez les deux moitiés avec les doigts. Badigeonnez la chair du homard avec le mélange de beurre.

3. Déposez les queues sur la grille, côté charnu vers le bas. Faites griller à découvert sur un feu moyen-élevé pendant 4 minutes. Tournez les queues pour que le côté charnu soit vers le haut. Badigeonnez avec le mélange de beurre et faites griller de 4 à 5 minutes ou jusqu'à ce que la chair devienne opaque.

4. Faites chauffer le reste du mélange de beurre en remuant à l'occasion. Servez le mélange de beurre comme trempette. *Donne 4 portions*

Beurres savoureux

Beurre piquant
⅓ tasse de beurre ou de margarine fondu
1 cuillère à table d'oignon haché
2 à 3 cuillères à thé de sauce piquante au piment de Cayenne
1 cuillère à thé de thym séché
¼ cuillère à thé de quatre-épices moulu

Beurre aux oignons verts
⅓ tasse de beurre ou de margarine fondu
1 cuillère à table d'oignon vert haché finement (partie blanche)
1 cuillère à table de jus de citron
1 cuillère à thé de zeste de citron râpé
¼ cuillère à thé de poivre noir moulu

Beurre chili-moutarde
⅓ tasse de beurre ou de margarine fondu
1 cuillère à table d'oignon haché
1 cuillère à table de moutarde de Dijon
1 cuillère à thé de poudre de chili

Pour chaque sauce au beurre, mélangez les ingrédients dans un petit bol.

Queue de homard avec beurre savoureux

Sandwichs chocolat et caramel

12 biscuits gaufrettes au chocolat ou biscuits Graham au chocolat
2 cuillères à table de garniture au caramel pour crème glacée
6 grosses guimauves

1. Préparez les charbons pour la cuisson au gril. Déposez les 6 biscuits à l'envers dans l'assiette. Étendez 1 cuillère à thé de garniture au caramel au centre de chaque biscuit jusqu'à environ ¼ de po du bord.

2. Enfilez 1 ou 2 guimauves sur une longue brochette de bambou*. Tenez-la à plusieurs pouces de distance des charbons pendant 3 à 5 minutes ou jusqu'à ce que les guimauves soient dorées et très molles, en tournant lentement. Déposez une guimauve au centre du caramel. Ajoutez un biscuit sur le dessus. Répétez avec les autres guimauves et biscuits. *Donne 6 portions*

**Si vous ne possédez pas de brochettes de bambou, utilisez un gant de cuisine pour protéger votre main de la chaleur.*

Astuce: Les sandwichs chocolat et caramel sont parfaits comme petite douceur autour d'un beau feu de camp! C'est bien peu probable, mais si tous les sandwichs ne sont pas mangés, ils pourront être réchauffés au micro-ondes à puissance maxiale pendant 5 à 10 secondes.

Saviez-vous que la moitié des guimauves consommées au Canada sont grillées sur le feu?

Sandwichs chocolat et caramel

Hamburgers cow-boy

1 livre de dinde ou de bœuf haché
½ cuillère à thé de sel assaisonné
½ cuillère à thé de poivre aromatisé
3 cuillères à table de beurre ou de margarine
1 gros oignon finement tranché
1 paquet (1 oz) d'assaisonnements et épices pour tacos du commerce
4 tranches de fromage cheddar
4 pains Kaiser
Feuilles de laitue
Tranches de tomate

Dans un bol moyen, combinez la dinde ou le bœuf haché avec le sel et le poivre assaisonnés ; façonnez en quatre galettes. Faites griller jusqu'à la cuisson désirée. Pendant ce temps, dans un poêlon moyen, faites fondre le beurre ou la margarine. Mélangez l'oignon aux assaisonnements et épices pour tacos et faite-le cuire jusqu'à ce qu'il soit tendre et transparent. Déposez de l'oignon et du fromage sur chaque galette. Remettez sur la grille jusqu'à ce que le fromage soit fondu. Déposez chaque galette sur un pain, puis ajoutez la laitue et les tomates.

Donne 4 portions

Idée-repas : Servez avec vos haricots au four préférés.

Temps de préparation : 5 minutes
Temps de cuisson : 7 à 10 minutes

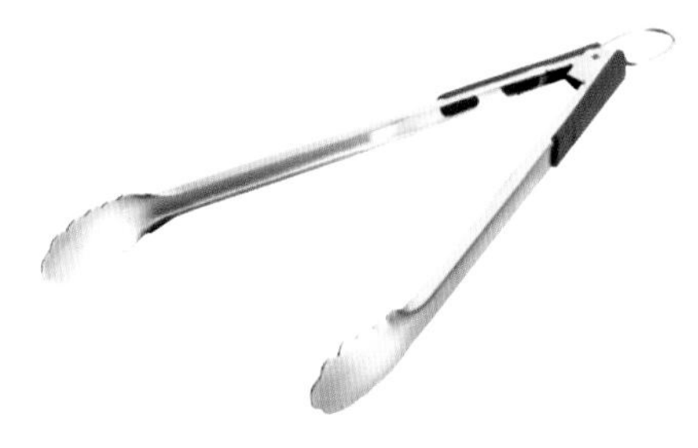

Hamburger cow-boy

Côtes de dos de bœuf épicées et savoureuses

5 livres de côtes de dos de bœuf coupées en sections de 3 ou 4 côtes
Sel et poivre noir moulu
1 cuillère à thé d'huile végétale
1 petit oignon haché fin
2 gousses d'ail hachées finement
1 tasse de ketchup
½ tasse de sauce chili
2 cuillères à table de jus de citron
1 cuillère à table de cassonade tassée
1 cuillère à thé de sauce au piment de Cayenne

1. Déposez les côtes dans un plat peu profond ; assaisonnez de sel et de poivre. Gardez-les au réfrigérateur jusqu'à ce que vous soyez prêt à les faire griller.

2. Préparez le barbecue pour une cuisson indirecte. Pendant que les charbons chauffent, préparez la sauce barbecue.

3. Faites chauffer l'huile dans une grande casserole antiadhésive sur un feu moyen. Ajoutez l'oignon et l'ail. Faites cuire en remuant pendant 5 minutes ou jusqu'à ce que l'oignon soit tendre. Ajoutez les autres ingrédients en remuant. Réduisez le feu et faites mijoter à feu moyen-bas pendant 15 minutes en remuant à l'occasion.

4. Badigeonnez généreusement les côtes de sauce. Faites griller pendant 45 à 60 minutes ou jusqu'à ce que les côtes soient tendres et brunies en les retournant à l'occasion.

5. Amenez le reste de sauce à ébullition sur un feu moyen-élevé ; faites bouillir pendant 1 minute. Servez les côtes avec la sauce.

Donne 5 ou 6 portions

Temps de préparation : 15 minutes
Temps de cuisson : 55 à 75 minutes

Côtes de dos de bœuf épicées et savoureuses

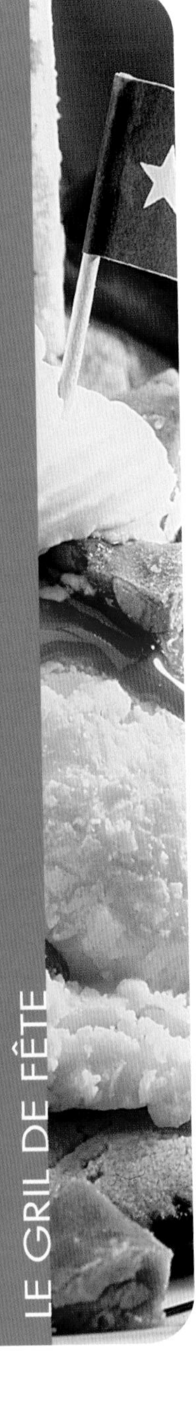

Poulet au rhum jamaïcain

½ tasse de rhum brun
2 cuillères à table de jus de lime ou de jus de citron
2 cuillères à table de sauce soya
2 cuillères à table de cassonade
4 grosses gousses d'ail émincées
1 ou 2 piments jalapeños* épépinés et hachés finement
1 cuillère à table de gingembre frais haché finement
1 cuillère à thé de thym séché écrasé
½ cuillère à thé de poivre noir moulu
6 demi-poitrines de poulet désossées sans peau

**Les piments jalapeños peuvent brûler et irriter la peau; portez des gants en caoutchouc lorsque vous manipulez les piments et ne vous touchez pas les yeux. Lavez vos mains après la manipulation.*

1. Pour préparer la marinade, combinez tous les ingrédients, sauf le poulet, dans un petit bol.

2. Rincez le poulet et tamponnez-le avec du papier essuie-tout pour l'assécher. Déposez le poulet dans un sac de plastique refermable; versez la marinade sur le poulet. Évacuez l'air du sac et fermez-le hermétiquement. Retournez le sac pour enrober complètement le poulet de marinade. Réfrigérez au minimum 4 heures ou jusqu'au lendemain en retournant le sac une ou deux fois.

3. Préparez le barbecue pour une cuisson directe en répartissant les charbons en une seule couche de 1 à 2 po sous la nourriture.

4. Égouttez le poulet; réservez la marinade. Déposez le poulet sur la grille. Faites-le griller à feu découvert d'intensité moyenne-élevée pendant 6 minutes par côté ou jusqu'à ce qu'il ne soit plus rose au centre.

5. Pendant ce temps, amenez le reste de la marinade à ébullition dans un petit poêlon sur un feu d'intensité moyenne-élevée. Faites bouillir pendant 5 minutes ou jusqu'à ce que la marinade ait réduit de moitié.

6. Pour servir, versez la marinade sur le poulet. Décorez au goût.

Donne 6 portions

Poulet au rhum jamaïcain

Pizzas grillées à l'ail et aux herbes

Pâte à pizza maison (page 200)
8 gousses d'ail grillées (page 200)
1 oignon jaune moyen
Huile d'olive
1 poivron rouge, jaune ou orange moyen
1 tasse de fromage de chèvre en morceaux
¼ tasse de mélange d'herbes fraîches coupées (thym, basilic, origan et persil) ou 4 cuillères à thé du même mélange d'herbes séchées
¼ tasse de fromage parmesan rapé

Préparez la pâte à pizza maison. Pendant que la pâte lève, allumez les briquettes et refermez le barbecue. Répartissez les briquettes chaudes d'un côté du barbecue. Préparez l'ail grillé. Huilez légèrement la grille pour empêcher les aliments de coller. Coupez l'oignon en tranches de ½ po d'épaisseur. Insérez les brochettes de bois dans les tranches d'oignon pour éviter qu'elles ne se séparent. (Faites tremper les brochettes de bambou dans l'eau chaude pendant 15 minutes pour éviter qu'elles ne brûlent.) Badigeonnez légèrement l'oignon d'huile. Placez le poivron entier et les tranches d'oignon sur la grille à proximité des briquettes. Faites griller à feu couvert pendant 20 à 30 minutes ou jusqu'à tendreté, en les tournant une fois ou deux. Retirez les brochettes des tranches d'oignon et séparez-les. Coupez le poivron en deux et retirez les pépins une fois que celui-ci sera suffisamment refroidi. Tranchez les moitiés de poivron en languettes.

Roulez chaque boule de pâte en un cercle de 7 po. Badigeonnez-les légèrement d'huile des deux côtés. Faites griller la pâte directement sur la grille au-dessus de briquettes de chaleur moyenne-élevée pendant 1 à 3 minutes ou jusqu'à ce que la pâte commence à faire des bulles et que le dessous soit légèrement bruni. Retournez et faites griller pendant 3 à 5 minutes ou jusqu'à ce que le deuxième côté soit légèrement bruni et que la pâte soit bien cuite. Retirez du gril. Tartinez 2 gousses d'ail grillées sur chaque pâte. Ajoutez des rondelles d'oignon, des languettes de poivron, du fromage de chèvre, des herbes et du parmesan en répartissant également les quantités. Déposez les pizzas sur la grille, à l'écart des charbons, à couvert pendant 5 minutes jusqu'à ce que les dessous soient croustillants, que le fromage fonde et que les garnitures soient bien chaudes.

Donne 4 pizzas individuelles

Note: Une boule de pâte à pain d'une livre décongelée peut remplacer la pâte à pizza maison. Vous pouvez aussi remplacer la pâte par des pains italiens précuits, ajouter les garnitures et les réchauffer au barbecue.

suite à la page 200

Pizzas grillées à l'ail et aux herbes

Pizzas grillées à l'ail et aux herbes, *suite*

Pâte à pizza maison

2 ¾ tasses de farine tout usage
1 sachet de levure instantanée
¾ cuillère à thé de sel
1 tasse d'eau
1 ½ cuillère à table d'huile végétale

Mélangez 1 ½ tasse de farine, la levure et le sel au robot culinaire. Chauffez l'eau et l'huile dans une petite casserole jusqu'à atteindre une température entre 120 °F et 130 °F. Pendant que le robot tourne, ajoutez l'eau et l'huile au mélange de farine ; laissez tourner pendant 30 secondes. Ajoutez 1 tasse de farine et continuez à pétrir au robot jusqu'à ce que le pâte forme une boule. Pétrissez ensuite sur une planche enfarinée pendant 3 à 4 minutes ou jusqu'à l'obtention d'une consistance lisse et satinée. Ajoutez autant de farine que nécessaire, du ¼ de tasse qui reste, pour éviter que la pâte ne colle. Placez la pâte dans un bol huilé en la retournant une fois. Couvrez d'une serviette et laissez la pâte reposer dans un endroit chaud pendant 30 minutes jusqu'à ce qu'elle double de volume. Divisez la pâte en 4 boules égales.

Ail grillé

1 ou 2 têtes d'ail
Huile d'olive

Pelez la peau extérieure papyracée des têtes d'ail. Badigeonnez d'huile. Faites griller à l'extrémité de la grille sur un feu couvert d'intensité moyenne-élevée pendant 30 à 45 minutes ou jusqu'à ce que les gousses soient molles et butyreuses. Retirez du feu ; laissez refroidir légèrement. Écrasez délicatement la racine des têtes d'ail amollis pour que les gousses s'extraient de la peau et tombent dans un petit bol. Utilisez-les immédiatement ou couvrez et réfrigérez jusqu'à une semaine.

Ailes de poulet piquantes au sésame et à l'abricot

⅓ tasse de sauce piquante au piment de Cayenne
½ tasse de moutarde de Dijon au miel
2 cuillères à table d'huile de sésame foncé
1 cuillère à table de vinaigre de vin rouge
½ tasse de confiture d'abricot
2 livres d'ailes de poulet avec les extrémités enlevées
2 cuillères à table de graines de sésame grillées*

**Pour faire griller les graines de sésame, déposez-les sur une tôle à biscuits à 375 °F pendant 8 à 10 minutes ou jusqu'à ce qu'elles soient dorées.*

1. Mélangez dans une tasse à mesurer la sauce piquante, la moutarde, l'huile de sésame et le vinaigre. Déposez ¼ de tasse de ce mélange et la confiture d'abricot dans le mélangeur ou le robot culinaire. Couvrez et malaxez jusqu'à l'obtention d'une consistance lisse. Réservez comme sauce à badigeonner et trempette.

2. Placez les ailes dans un grand bol. Versez le reste du mélange piquant sur les ailes; remuez pour bien enrober. Couvrez et marinez au réfrigérateur pendant 20 minutes.

3. Placez les ailes sur une grille huilée et jetez la marinade. Faites griller à intensité moyenne de 25 à 30 minutes ou jusqu'à ce qu'elles soient croustillantes et qu'elles ne soient plus roses, en les retournant souvent. Badigeonnez de ¼ de tasse de sauce pendant les 10 dernières minutes de cuisson. Déposez les ailes sur un plateau de service et saupoudrez-les de graines de sésame. Servez avec le reste de la sauce.

Donne 8 portions

Temps de préparation: 15 minutes
Temps de marinade: 20 minutes
Temps de cuisson: 25 minutes

Brochettes de crevettes hawaïennes

1 boîte (6 oz) de jus d'ananas
⅓ tasse de cassonade bien tassée
4 cuillères à thé de fécule de maïs
1 cuillère à table de vinaigre de riz
1 cuillère à table de sauce soya à teneur réduite en sel
1 gousse d'ail hachée finement
¼ cuillère à thé de gingembre moulu
1 poivron vert moyen
1 poivron rouge moyen
1 oignon moyen
1 tasse de morceaux d'ananas frais
1 tasse de morceaux de mangue ou de papaye fraîche
1 livre de grosses crevettes crues, décortiquées et déveinées
2 ½ tasses de riz blanc cuit et chaud
Rondelles d'oignon rouge et tiges d'herbes fraîches (facultatif)

1. Pour la sauce, combinez le jus, la cassonade, la fécule de maïs, le vinaigre, la sauce soya, l'ail et le gingembre dans une casserole. Faites cuire à intensité moyenne-élevée jusqu'à ce que le mélange vienne à ébullition et épaississe en remuant fréquemment; réservez.

2. Préparez le barbecue pour une cuisson directe. Coupez les poivrons et l'oignon en carrés de 1 po. Enfilez les poivrons, l'oignon, l'ananas, la mangue ou la papaye et les crevettes sur 10 brochettes de métal. Déposez les brochettes dans un grand plat de cuisson en verre. Badigeonnez-les de sauce.

3. Déposez-les sur la grille. Faites griller de 3 à 4 minutes. Tournez et badigeonnez de sauce; jetez le reste de sauce. Faites griller de 3 à 4 minutes de plus ou jusqu'à ce que les crevettes soient roses et opaques. Servez avec du riz. Décorez de rondelles d'oignons et d'herbes, si désiré.

Donne 5 portions

Brochettes de crevettes hawaïennes

Poulet barbecue glacé à l'orange et au piment

1 ou 2 piments de Cayenne séchés*
½ tasse de jus d'orange frais
2 cuillères à table de tequila
2 gousses d'ail hachées finement
1 ½ cuillère à thé de zeste d'orange râpé
¼ cuillère à thé de sel
¼ tasse d'huile végétale
1 poulet à griller (environ 3 livres) coupé en quatre
Tranches d'orange (facultatif)
Tiges de coriandre (facultatif)

**Pour une saveur plus douce, jetez les graines des piments de Cayenne. Les piments de Cayenne peuvent brûler et irriter la peau ; portez des gants en caoutchouc lorsque vous manipulez les piments et ne vous touchez pas les yeux. Lavez vos mains après la manipulation.*

1. Écrasez les piments en gros flocons à l'aide d'un mortier et d'un pilon. Combinez les piments, le jus d'orange, la tequila, l'ail, le zeste d'orange et le sel dans un petit bol. Ajoutez graduellement l'huile en fouettant sans arrêt jusqu'à ce que la marinade soit complètement mélangée.

2. Répartissez les morceaux de poulet en une seule couche dans le plat de cuisson en verre. Versez la marinade sur le poulet ; retournez les morceaux pour bien les enrober. Marinez, couvrez et réfrigérez de 2 à 3 heures en tournant le poulet et en le badigeonnant de marinade à plusieurs reprises.

3. Préparez le feu pour une cuisson directe. Égouttez le poulet ; réservez la marinade. Amenez la marinade à ébullition dans une petite casserole sur un feu élevé et faites-la bouillir pendant 2 minutes. Faites griller le poulet à couvert, de 6 à 8 pouces de la source de chaleur, pendant 15 minutes en badigeonnant souvent de marinade. Retournez le poulet. Faites griller pendant 15 minutes de plus ou jusqu'à ce que le poulet ne soit plus rose au centre et que le jus soit transparent, en badigeonnant souvent de marinade. Ne badigeonnez pas pendant les 5 dernières minutes de cuisson. Jetez le reste de marinade. Garnissez de tranches d'orange et de coriandre, au goût.

Donne 4 portions

Poulet barbecue glacé à l'orange et au piment

Brochettes de bœuf au gingembre et à l'ananas

1 tasse de marinade thaï au gingembre avec jus de lime du commerce
1 boîte (16 oz) d'ananas en morceaux avec le jus réservé
1½ livre de bifteck de haut de surlonge de bœuf coupé en cubes de 1,5 po
2 poivrons rouges coupés en morceaux
2 oignons moyens coupés en quartiers

Dans un grand sac de plastique refermable, combinez ½ tasse de marinade thaï au gingembre avec 1 cuillère à table de jus d'ananas; mélangez bien. Ajoutez le bifteck, les poivrons et les oignons et refermez le sac. Faites mariner au réfrigérateur pendant au moins 30 minutes. Retirez le bœuf et les légumes; jetez la marinade utilisée. Enfilez en alternance le bœuf, les légumes et l'ananas sur des brochettes. Faites griller les brochettes de 10 à 15 minutes ou jusqu'au degré de cuisson souhaité, en les tournant une fois et en les badigeonnant souvent avec l'autre ½ tasse de marinade thaï au gingembre. Ne badigeonnez pas pendant les 5 dernières minutes de cuisson. Jetez le reste de marinade. *Donne 6 portions*

Suggestion: Servez les brochettes avec une salade légère et du pain.

Le mot barbecue provient probablement du mot maya «barbacoa» qui se rapporte au treillis de bois vert sur lequel les aliments étaient placés pour la cuisson sur charbon.

Brochettes de bœuf au gingembre et à l'ananas

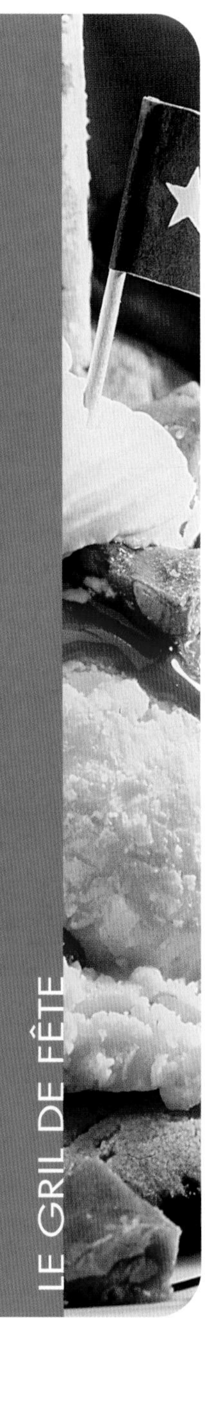

Quesadillas grillées à grignoter

1½ tasse (6 oz) de fromage Monterey Jack râpé
½ poivron rouge ou jaune coupé en morceaux
2 onces de jambon fumé coupé en fines languettes
2 onces de dinde fumée coupée en fines languettes
¼ tasse d'oignons verts hachés finement
⅓ tasse de moutarde préparée
2 cuillères à thé de cumin moulu
10 tortillas de farine (6 po)

1. Combinez le fromage, le poivron, le jambon, la dinde et les oignons dans un bol moyen. Combinez la moutarde avec le cumin dans un autre petit bol ; mélangez bien.

2. Placez 5 tortillas côte-à-côte sur une feuille de papier ciré. Étendez 1 cuillère à thé comble de mélange à la moutarde sur chaque tortilla. Saupoudrez de mélange au fromage. Couvrez d'une autre tortilla en appuyant fermement pour former la quesadilla.

3. Déposez les quesadillas sur la grille huilée. Faites griller à chaleur moyenne pendant 2 minutes ou jusqu'à ce que le fromage soit fondu et que les quesadillas soient bien chauffées, en les tournant une fois. Coupez chaque quesadilla en quatre. Servez avec de la salsa et de la coriandre, si désiré. *Donne 10 portions*

Temps de préparation : 30 minutes
Temps de cuisson : 2 minutes

Quesadillas grillées à grignoter

Satay de poulet

1 livre de demi-poitrines de poulet désossées sans peau
1 recette de trempette à l'arachide (recette ci-dessous)
Tranches de concombre
Coriandre fraîche hachée

1. Faites tremper 8 brochettes de bambou (6 po) dans l'eau chaude pendant 20 minutes. Coupez le poulet dans le sens de la longueur en languettes de 1 po d'épaisseur ; enfilez-les sur des brochettes.

2. Déposez les brochettes dans un grand plat en verre peu profond. Versez ½ tasse de trempette à l'arachide sur le poulet en retournant les brochettes pour bien les enrober. Couvrez et marinez au réfrigérateur pendant 30 minutes.

3. Placez les brochettes sur une grille huilée et jetez le reste de la marinade. Faites griller à intensité élevée de 5 à 8 minutes ou jusqu'à ce que le poulet ne soit plus rose, en retournant les brochettes une fois. Déposez sur un plateau de service. Servez avec du concombre, de la coriandre et le reste de la trempette à l'arachide.

Donne 4 portions (plat principal) ou 8 entrées

Temps de préparation : 15 minutes
Temps de marinade : 30 minutes
Temps de cuisson : 5 minutes

Trempette à l'arachide

⅓ tasse de beurre d'arachide
⅓ tasse de moutarde de Dijon au miel
⅓ tasse de jus d'orange
1 cuillère à table de gingembre frais haché
1 cuillère à table de miel
1 cuillère à table de sauce piquante au piment de Cayenne
1 cuillère à table de sauce teriyaki
2 gousses d'ail hachées finement

Combinez tous les ingrédients dans un grand bol. Réfrigérez jusqu'au moment de servir.

Donne 1 tasse de trempette

Astuce : Servez la trempette à l'arachide avec le satay de poulet ou comme trempette pour des légumes frais. Cette trempette peut également servir de tartinade sur une baguette avec des légumes grillés.

Temps de préparation : 10 minutes

Satay de poulet et trempette à l'arachide

Roulés au bœuf de style fajitas

1 sachet (1,27 oz) d'assaisonnements et d'épices pour fajitas
2 cuillères à table d'huile végétale
½ livre de bifteck de bœuf de haut de surlonge
½ tasse de poivron vert coupé en morceaux
1 tasse d'oignon rouge tranché finement
1 petite boîte (8,75 oz) de pois chiches égouttés
1 tomate coupée en quartiers et tranchée finement
8 grandes tortillas (format burrito) ou 12 petites tortillas de farine (format taco souple) chauffées pour être assouplies

Dans un petit bol, mélangez les épices et les assaisonnements ainsi que l'huile. Étendez 1 cuillère à thé de pâte d'assaisonnement de chaque côté du steak. Pour obtenir une saveur plus intense, couvrez et réfrigérez la viande pendant 30 minutes avant de la faire cuire. Réservez le reste de la pâte d'assaisonnement. Faites griller jusqu'à la cuisson désirée. Tranchez en fines languettes. Dans un grand bol, combinez le poivron vert, l'oignon, les pois chiches, la tomate, le bœuf et le reste de la pâte d'assaisonnement; mélangez pour enrober uniformément. Déposez à la cuillère ½ à ⅓ de tasse de ce mélange sur chaque tortilla. Repliez les côtés vers l'intérieur et enroulez pour contenir la garniture. Emballez chaque roulé dans une pellicule plastique (ou dans un contenant de rangement réutilisable) et réfrigérez jusqu'au moment de servir ou de partir en pique-nique.

Donne 8 grands roulés ou 12 petits roulés

Astuce: La garniture peut être préparée la veille puis être déposée dans les tortillas le jour même ou sur le site du pique-nique!

Temps de préparation: 10 à 15 minutes
Temps de cuisson: 8 à 10 minutes

Roulés au bœuf de style fajitas

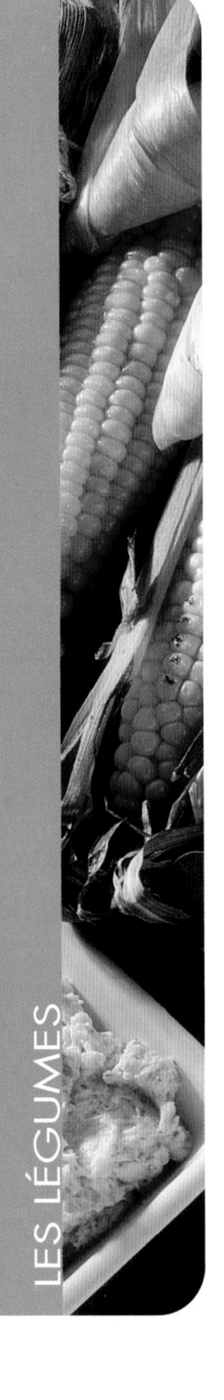

Assiette de légumes grillés

1 tasse de marinade aux herbes et à l'ail avec jus de citron du commerce
12 petits champignons portobellos coupés en morceaux de ½ po
2 petites courgettes jaunes ou vertes coupées en tranches de ½ po
1 petit oignon coupé en quartiers
1 petite aubergine japonaise coupée en morceaux de ½ po
2 poivrons rouges, verts ou jaunes coupés en gros morceaux

Dans un grand sac de plastique refermable, combinez tous les ingrédients et mélangez bien. Fermez le sac et faites mariner au réfrigérateur pendant au moins 30 minutes. Retirez les légumes et réservez la marinade utilisée. Faites griller les légumes mélangés de 10 à 12 minutes ou jusqu'à tendreté (les champignons cuisent rapidement!) en les tournant une fois et en les badigeonnant souvent avec la marinade réservée. Les légumes devraient être légèrement carbonisés. Répartissez les légumes dans l'assiette. *Donne 6 portions*

Idée-repas: Une recette idéale comme accompagnement à un pique-nique, à une salade-repas, à une tortilla ou à un sandwich. Les légumes peuvent être préparés d'avance et gardés au réfrigérateur jusqu'au moment de les consommer. Servir chauds, froids ou à la température ambiante.

Variation: Enfilez les légumes sur des brochettes et faites-les griller à feu moyen jusqu'à la cuisson désirée.

Astuce: Pour les faire griller au four, préchauffer-le à 450 °F. Si vous faites griller des légumes-racines, couvrez-les et cuisez pendant 20 minutes. Découvrez-les et continuez la cuisson pendant 20 à 25 minutes ou jusqu'à tendreté.

Temps de préparation: 10 minutes
Temps de marinade: 30 minutes
Temps de cuisson: 10 à 12 minutes

Assiette de légumes grillés

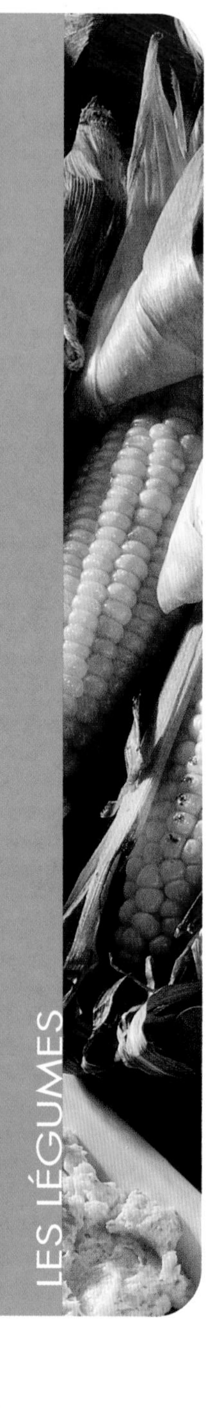

Oignons épicés Buffalo

½ tasse de sauce piquante au piment de Cayenne
½ tasse (1 bâtonnet) de beurre fondu, de margarine fondue ou d'huile d'olive
¼ tasse de sauce chili
1 cuillère à table de poudre de chili
4 gros oignons sucrés en tranches de ½ po d'épaisseur

Fouettez ensemble la sauce piquante, le beurre, la sauce chili et la poudre de chili dans un bol moyen ; badigeonnez sur les tranches d'oignon.

Déposez les oignons sur la grille. Faites griller à feu moyen-élevé pendant 10 minutes ou jusqu'à tendreté, en tournant et badigeonnant souvent avec le mélange au chili. Servez chaud. *Donne 6 portions d'accompagnement*

Astuce : Les oignons peuvent être préparés d'avance et grillés juste avant de servir.

Temps de préparation : 10 minutes
Temps de cuisson : 10 minutes

Oignons épicés Buffalo

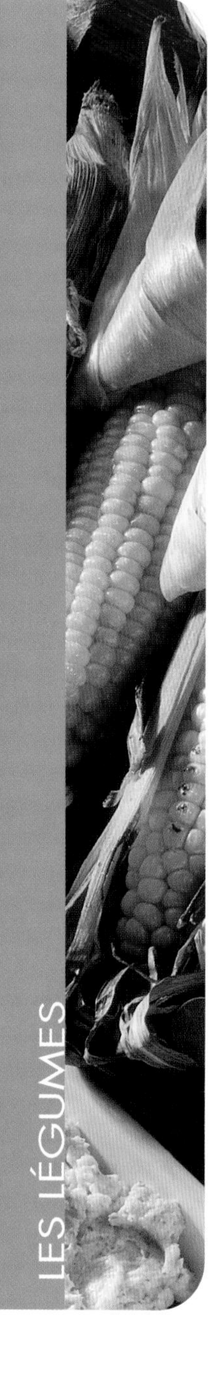

Quartiers de pommes de terre cajun grillés

3 grosses pommes de terre Russet non pelées, lavées, brossées (environ 2,25 lb)
¼ tasse d'huile d'olive
2 gousses d'ail hachées finement
1 cuillère à thé de sel
1 cuillère à thé de paprika
½ cuillère à thé de thym séché
½ cuillère à thé d'origan séché
¼ cuillère à thé de poivre noir moulu
⅛ à ¼ cuillère à thé de piment de Cayenne moulu
2 tasses de copeaux de mesquite

1. Préparez le barbecue pour une cuisson directe. Préchauffez le four à 425 °F.

2. Coupez les pommes de terre en moitié dans le sens de la longueur, puis coupez chaque moitié en quatre dans le même sens. Placez les pommes de terre dans un grand bol. Ajoutez l'huile et l'ail ; remuez pour bien enrober.

3. Combinez le sel, le paprika, le thym, l'origan, le poivre noir et le piment de Cayenne moulu dans un petit bol. Saupoudrez sur les pommes de terre et remuez pour bien les enduire. Placez les quartiers de pommes de terre en une seule couche dans une rôtissoire peu profonde. (Réservez le reste de mélange à base d'huile laissé dans le grand bol.) Faites cuire au four pendant 20 minutes.

4. Pendant ce temps, recouvrez d'eau froide les copeaux de mesquite et laissez-les tremper pendant 20 minutes. Égouttez les copeaux de mesquite ; saupoudrez sur les briquettes. Placez les quartiers de pommes de terre sur le côté, sur la grille.

Faites griller les pommes de terre à feu moyen couvert de 15 à 20 minutes ou jusqu'à ce qu'elles brunissent et soient tendres sous la fourchette. Badigeonnez-les avec le mélange d'huile réservé à la mi-cuisson et tournez-les une fois à l'aide de pinces.

Donne de 4 à 6 portions

Quartiers de pommes de terre cajun grillés

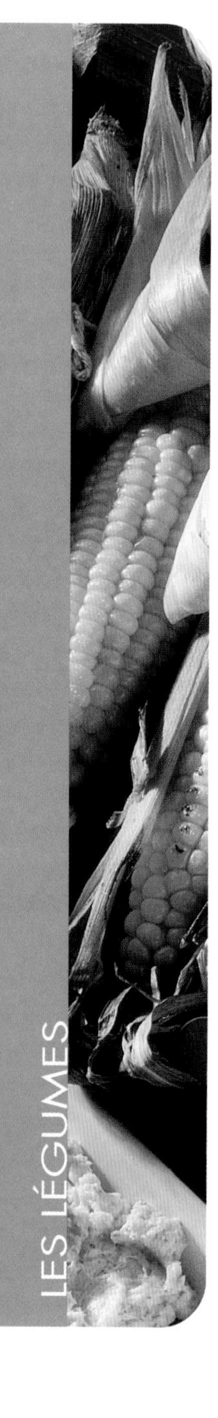

Hamburgers Pinto

1 boîte (15 oz) de haricots Pinto égouttés et rincés
1 œuf
1 carotte moyenne pelée et râpée
¼ tasse de poivron rouge haché
1 gros oignon vert haché
2 cuillères à table de sauce «piquante» au piment
1 cuillère à thé de sel
1 cuillère à table d'huile végétale
3 pains à hamburger de blé entiers coupé en deux
Légumes à titre de garnitures, par exemple des feuilles d'épinards, des germes de luzerne ou de radis, de tranches d'oignon rouge ou des tomates cerises (facultatif)

Préchauffez le barbecue ou la rôtissoire. Réduisez les haricots en purée dans un grand bol à l'aide d'un pilon à pommes de terre ou au robot culinaire. Ajoutez l'œuf, la carotte, le poivron rouge, l'oignon vert, la sauce piquante et le sel. Mélangez. Façonnez 3 galettes de ¾ po d'épaisseur.

Vaporisez les hamburgers d'un gras de cuisson antiadhésif. Faites griller à 4 à 6 po de distance de la source de chaleur pendant environ 3 minutes de chaque côté. Pour servir, déposez les hamburgers sur la moitié inférieure des pains, garnissez de légumes et recouvrez de l'autre moitié des pains. *Donne 3 portions*

Hamburger Pinto

Roues de maïs BBQ

4 épis de maïs dépouillés et nettoyés
3 poivrons rouges, verts ou jaunes coupés en gros morceaux
¾ tasse de sauce barbecue
½ tasse de miel
½ tasse de sauce Worcestershire
Aérosol de cuisson pour légumes

1. Coupez le maïs en tranches de ½ po d'épaisseur. Enfilez en alternance les morceaux de poivron et de maïs sur quatre brochettes de métal. (Enfoncez l'extrémité de la brochette au centre des roues de maïs.) Combinez la sauce barbecue, le miel et la sauce Worcestershire.

2. Enduisez les brochettes d'aérosol de cuisson pour légumes. Faites-les griller sur une grille ou dans un panier huilé à chaleur moyenne pendant 5 minutes. Faites cuire 5 minutes de plus jusqu'à ce que le maïs soit tendre, en tournant et en badigeonnant avec le mélange de sauce barbecue. Servez tout surplus de sauce en accompagnement avec des hamburgers, des steaks ou du poulet grillé. *Donne 4 portions*

Temps de préparation : 10 minutes
Temps de cuisson : 10 minutes

Le plus ancien restaurant de barbecue aux États-Unis est le Tadich Grill de San Francisco qui a ouvert ses portes en 1849.

Roues de maïs BBQ

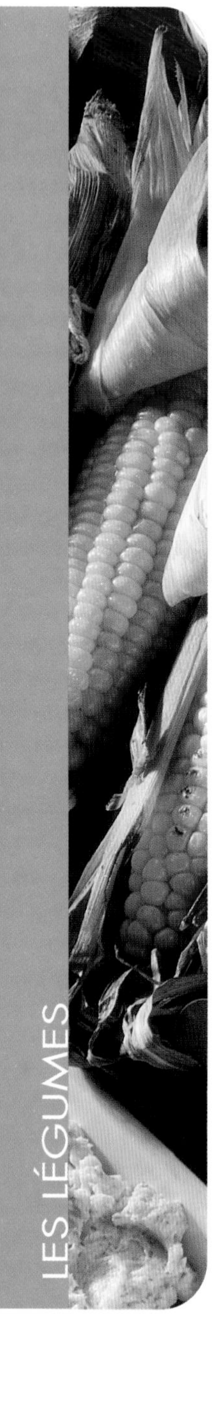

Légumes au miel grillés

12 petites pommes de terre rouges coupées en deux
¼ tasse de miel
3 cuillères à table de vin blanc sec
1 gousse d'ail hachée finement
1 cuillère à thé de thym séché écrasé
½ cuillère à thé de sel
½ cuillère à thé de poivre noir moulu
2 courgettes coupées en deux sur la longueur et recoupées ensuite en deux
1 aubergine moyenne en tranches de ½ po
1 poivron vert coupé à la verticale en huit
1 poivron rouge coupé à la verticale en huit
1 gros oignon coupé en tranches de ½ po

Recouvrez les pommes de terre d'eau. Amenez à ébullition puis faites mijoter pendant 5 minutes ; égouttez. Combinez le miel, le vin, l'ail, le thym, le sel et le poivre noir ; mélangez bien. Placez les légumes sur une grille huilée à feu élevé. Faites griller de 20 à 25 minutes en les retournant et en les badigeonnant du mélange au miel toutes les 7 ou 8 minutes.

Donne de 4 à 6 portions

Méthode au four: Enrobez les légumes du mélange au miel. Faites cuire à découvert à 400 °F pendant 25 minutes ou jusqu'à tendreté. Remuez toutes les 8 à 10 minutes pour les empêcher de brûler.

Légumes au miel grillés

Champignons portobellos à saveur asiatique

4 gros champignons portobellos
2 cuillères à table de vin de riz sucré
2 cuillères à table de sauce soya à teneur réduite en sel
2 gousses d'ail hachées finement
1 cuillère à thé d'huile de sésame foncée

1. Préparez le barbecue pour une cuisson directe.
2. Retirez et jetez les tiges des champignons; réservez les chapeaux. Combinez les autres ingrédients dans un petit bol.
3. Badigeonnez les deux côtés des chapeaux avec le mélange à la sauce soya. Faites griller les champignons, chapeaux à l'endroit, à feu moyen découvert pendant 3 à 4 minutes. Badigeonnez les chapeaux du mélange à la sauce soya et retournez-les. Faites griller pendant 2 minutes de plus ou jusqu'à ce que les champignons soient légèrement dorés. Retournez et faites griller, en badigeonnant souvent, pendant 4 à 5 minutes ou jusqu'à ce qu'ils soient tendres sous la pression du dos d'une spatule. Retirez les champignons et coupez-les en tranches de ½ po d'épaisseur. *Donne 4 portions*

Asperges et pommes de terre nouvelles grillées

1 livre de petites pommes de terre rouges brossées et coupées en quartiers
¼ tasse de moutarde préparée ou de moutarde de Dijon au miel
3 cuillères à table d'aneth frais haché ou 2 cuillères à thé d'aneth séché
3 cuillères à table d'huile d'olive
3 cuillères à table de jus de citron
1 cuillère à table de zeste de citron
⅛ cuillère à thé de poivre noir moulu
1 livre d'asperges lavées et coupées

1. Déposez les pommes de terre et ¼ de tasse d'eau dans un plat peu profond allant au micro-ondes. Couvrez et faites cuire à puissance élevée (100 %) pendant 8 minutes ou jusqu'à ce qu'elles soient tendres mais toujours croustillantes, en les retournant une fois. Égouttez.
2. Combinez la moutarde, l'aneth, l'huile, le jus de citron, le zeste de citron et le poivre dans un petit bol. Badigeonnez le mélange sur les pommes de terre et les asperges. Déposez les légumes dans un panier pour le gril. Faites griller sur un feu moyen-élevé pendant 8 minutes ou jusqu'à ce que les pommes de terre et les asperges soient tendres sous la fourchette, en les tournant et les badigeonnant souvent avec le mélange à la moutarde. *Donne 4 portions*

Temps de préparation : 15 minutes
Temps de cuisson : 16 minutes

Champignons portobellos à saveur asiatique

Légumes grillés et riz brun

1 courgette moyenne
1 poivron rouge ou jaune moyen coupé en quartiers sur le sens de la longueur
1 petit oignon coupé en tranches de 1 po d'épaisseur
¾ tasse de vinaigrette italienne
4 tasses de riz brun cuit et chaud

1. Coupez la cougette sur la longueur en trois morceaux. Placez tous les légumes dans un grand sac de plastique refermable ; ajoutez-y la vinaigrette. Refermez le sac et réfrigérez plusieurs heures ou jusqu'au lendemain.

2. Retirez les légumes de la marinade ; réservez la marinade. Placez les poivrons et l'oignon sur la grille à feu moyen et badigeonnez-les de marinade. Faites griller pendant 5 minutes. Tournez les légumes ; ajoutez la courgette. Badigeonnez de marinade. Continuez la cuisson jusqu'à ce que les légumes soient *al dente*, soit pendant environ 5 minutes. Tournez la courgette après 3 minutes.

3. Retirez les légumes du gril et coupez-les grossièrement. Ajoutez au riz chaud ; mélangez légèrement. Assaisonnez de sel et de poivre noir, au goût.

Donne de 6 à 8 portions

Astuce du chef : La cuisson au gril ajoute une saveur fumée unique aux légumes et fait ressortir leurs sucres naturels. La façon la plus facile de faire griller les légumes est de les couper en gros morceaux et de les enrober de vinaigrette ou d'huile aromatisée. Les légumes crus assaisonnés peuvent aussi être emballés individuellement dans des papillotes d'aluminium et être grillés jusqu'à tendreté.

Légumes grillés et riz brun

Champignons portobellos et courges d'été grillés avec vinaigrette à l'orange

Vinaigrette à l'orange

2 tasses de jus d'orange fraîchement pressé
¼ tasse d'huile végétale
2 cuillères à table de vinaigre de vin de riz
1 cuillère à table de vinaigre de cidre
1 cuillère à table de zeste d'orange fraîchement râpé
Sel et poivre noir moulu

Légumes

4 champignons portobellos entiers avec les tiges enlevées
4 minces courges d'été jaunes coupées en ½ po d'épaisseur sur la longueur
¼ tasse d'huile végétale
Sel et poivre noir moulu
Feuilles de laitue
5 oignons verts coupés en diagonale
Graines de sésame grillées

Pour réaliser la vinaigrette à l'orange, amenez le jus d'orange à ébullition dans une casserole à feu moyen-élevé et réduisez-le à environ ½ tasse. Retirez du feu et ajoutez, en fouettant, l'huile, le vinaigre de vin de riz, le vinaigre de cidre et le zeste d'orange. Ajoutez le sel et le poivre au goût. Refroidissez jusqu'au moment de l'utiliser.

Pour les légumes, badigeonnez-les avec l'huile et assaisonnez de sel et de poivre. Faites griller à intensité moyenne-élevée jusqu'à ce qu'ils soient tendres.

Pour servir, déposez les feuilles de laitue dans 4 assiettes. Répartissez les légumes grillés sur la laitue et ajoutez la vinaigrette à l'orange. Saupoudrez d'oignons verts et de graines de sésame.

Donne 4 portions

Champignons portobellos et courges d'été grillés avec vinaigrette à l'orange

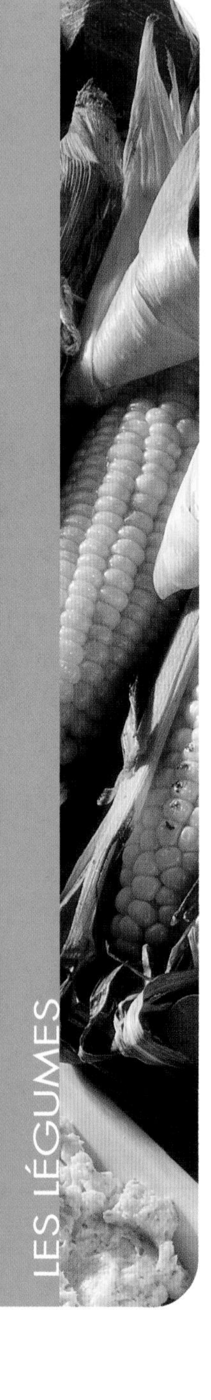

Patates sucrées grillées

4 patates sucrées moyennes (2 livres) pelées
⅓ tasse de moutarde de Dijon au miel
2 cuillères à table d'huile d'olive
1 cuillère à table de romarin frais haché ou 1 cuillère à thé de romarin séché
½ cuillère à thé de sel
¼ cuillère à thé de poivre noir moulu

1. Coupez les patates en diagonale en tranches de ½ po d'épaisseur. Déposez les patates et 1 tasse d'eau dans un plat peu profond allant au micro-ondes. Couvrez avec une pellicule plastique trouée et faites-les cuire à puissance élevée (100 %) pendant 6 minutes ou jusqu'à ce qu'elles soient tendres mais toujours croustillantes, en les retournant une fois. (Faites cuire les patates en deux fois, au besoin.) Égouttez bien.

2. Combinez la moutarde, l'huile, le romarin, le sel et le poivre dans un petit bol; badigeonnez sur les tranches de patates. Déposez les patates sur la grille huilée. Faites griller sur un feu moyen-élevé pendant 8 minutes ou jusqu'à ce qu'elles soient tendres sous la fourchette, en les tournant et les badigeonnant souvent avec le mélange à la moutarde.

Donne 4 portions

Astuce: Sélectionner des patates sucrées est facile. Recherchez tout simplement des patates moyennes avec une peau épaisse orange foncée qui est exempte de meurtrissures. Les patates sucrées se conservent bien dans un endroit sec et sombre à environ 13 °C (55 °F). Dans ces conditions, elles peuvent se conserver de 3 à 4 semaines.

Temps de préparation: 15 minutes
Temps de cuisson: 18 minutes

Patates sucrées grillées

Maïs grillé à la coriandre

4 épis de maïs frais
3 cuillères à table de beurre ou de margarine ramolli
1 cuillère à thé de coriandre moulue
¼ cuillère à thé de sel
⅛ cuillère à thé de flocons de piment broyés

1. Tirez les feuilles des épis de maïs jusqu'à la base sans les détacher. (Au besoin, retirez une portion des feuilles de la partie intérieure des épis; réservez pour utilisation ultérieure.) Enlevez les soies.

2. Placez les épis de maïs dans un grand bol. Couvrez-les d'eau froide et laissez-les tremper de 20 à 30 minutes.

3. Pendant ce temps, préparez le barbecue pour une cuisson directe.

4. Retirez les épis de l'eau et tamponnez les grains avec du papier essuie-tout. Combinez le beurre, la coriandre, le sel et le piment dans un petit bol. Étendez uniformément sur les grains à l'aide d'une spatule.

5. Replacez les feuilles sur les épis. Fixez-les à l'aide d'étrangleurs en métal recouverts de papier. Vous pouvez aussi utilisez les feuilles enlevées plus tôt pour faire des nœuds à la tête de chaque épi.

6. Déposez les épis sur la grille. Faites griller le maïs à feu moyen-élevé couvert pendant 20 à 25 minutes ou jusqu'à ce que le maïs soit tendre, en le tournant avec des pinces à la mi-cuisson.

Donne 4 portions

Note: Pour cuire sur la braise, ne faites pas tremper les épis dans l'eau froide. Enrobez chaque épi de papier d'aluminium épais. Placez-les directement sur les charbons. Faites griller le maïs à feu moyen-élevé couvert pendant 25 à 30 minutes ou jusqu'à ce qu'il soit tendre, en le tournant avec des pinces toutes les 10 minutes.

Maïs grillé à la coriandre

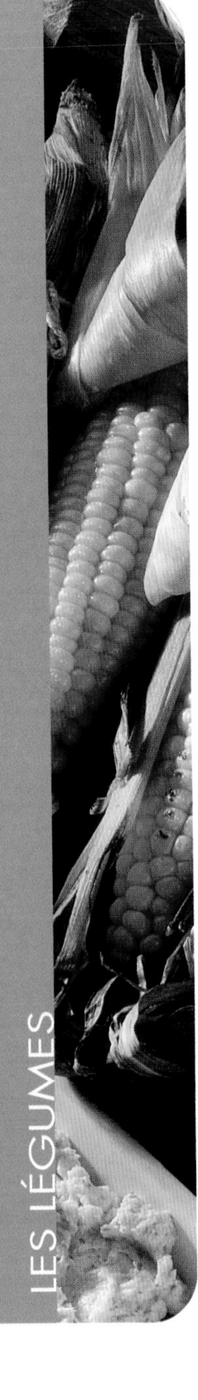

Petits artichauts avec trempette au piment grillé

18 petits artichauts* (environ 1,5 lb)
½ cuillère à thé de sel
¼ tasse de sauce piquante au piment de Cayenne
¼ tasse de beurre ou de margarine fondu
Trempette au piment grillé (recette ci-dessous)

**Vous pouvez les remplacer par 2 paquets (9 oz chacun) de moitiés d'artichauts surgelées, décongelées et égouttées. N'utilisez pas le four à micro-ondes. Badigeonnez avec le mélange au beurre piquant et faites griller tel qu'expliqué ci-dessous.*

1. Lavez et coupez les feuilles extérieures très dures des artichauts. Coupez ½ po à la tête de chaque artichaut, puis coupez-les en deux dans le sens de la longueur. Déposez les moitiés d'artichauts, 1 tasse d'eau et le sel dans un bol allant au micro-ondes. Couvrez et cuisez au micro-ondes à puissance élevée pendant 8 minutes ou jusqu'à tendreté. Enfilez les moitiés d'artichauts sur des brochettes en métal.

2. Préparez le gril. Combinez la sauce piquante et le beurre dans un petit bol. Badigeonnez le mélange sur les artichauts. Déposez les artichauts sur la grille. Faites griller sur des charbons chauds pendant 5 minutes ou jusqu'à tendreté, en tournant et en badigeonnant souvent de sauce. Servez-les avec la trempette au piment grillé.

Donne 6 portions

Temps de préparation : 20 minutes
Temps de cuisson : 13 minutes

Trempette au piment grillé

1 pot (7 oz) de piments rouges rôtis égouttés
1 gousse d'ail hachée
¼ tasse de mayonnaise faible en gras
2 cuillères à table de moutarde de Dijon au miel
2 cuillères à table de sauce piquante au piment de Cayenne
¼ cuillère à thé de sel

1. Placez les piments rôtis et l'ail dans le robot culinaire ou le mélangeur. Couvrez et malaxez jusqu'à l'obtention d'une consistance très lisse.

2. Ajoutez la mayonnaise, la sauce piquante et le sel. Mélangez bien. Couvrez et réfrigérez pendant 30 minutes.

Donne environ 1 tasse

Temps de préparation : 10 minutes
Temps de réfrigération : 30 minutes

Petits artichauts avec trempette au piment grillé

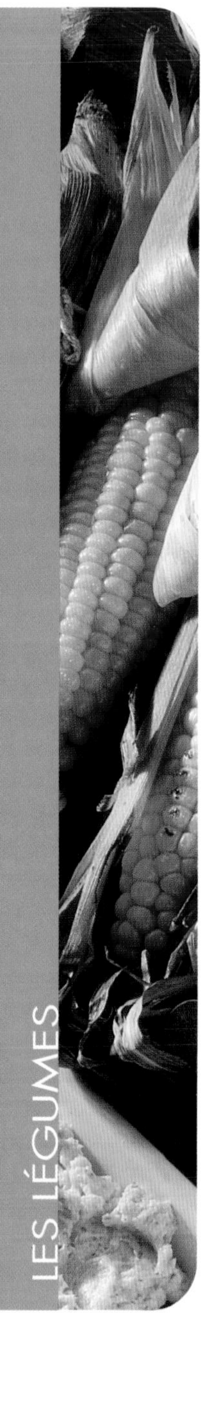

Tomates grillées sur le feu et pâtes gemelli

4 livres de tomates Roma
12 onces de pâtes gemelli, penne ou fusilli
1 échalote tranchée
½ à 1 piment jalapeño* épépiné et grossièrement haché
1 gousse d'ail tranchée
20 grandes feuilles de basilic frais
1 cuillère à table d'huile d'olive
¾ cuillère à thé de sel
⅛ cuillère à thé de poivre noir moulu
2 onces de fromage de chèvre ou ¼ tasse de fromage ricotta

**Les piments jalapeños peuvent brûler et irriter la peau ; portez des gants en caoutchouc lorsque vous manipulez les piments et ne vous touchez pas les yeux. Lavez vos mains après la manipulation.*

1. Préparez le barbecue pour une cuisson directe.

2. Coupez les tomates en moitié, épépinez-les. Faites griller les tomates, côté peau vers le bas, sur un feu chaud pendant 5 minutes ou jusqu'à ce que la peau soit noircie et que les tomates soient très tendres ; réservez.

3. Pendant ce temps, faites cuire les pâtes conformément aux instructions de l'emballage tout en omettant le sel. Égouttez ; réservez.

4. Combinez l'échalote, le piment jalapeño et l'ail au robot culinaire. Malaxez jusqu'à ce que tous les ingrédients soient finement hachés. Ajoutez les tomates, le basilic, le sel et le poivre noir. Malaxez-les pour bien mélanger. Remettez les pâtes dans le plat ; versez la sauce. Cuisez pendant 1 minute en remuant souvent.

5. Retirez du feu et ajoutez le fromage en remuant. Servez immédiatement.

Donne 4 portions (1,5 tasse)

Note : Les tomates peuvent être grillées d'une autre façon. Préchauffez la rôtissoire et préparez les tomates tel qu'indiqué à l'étape 2. Placez les tomates, côté coupé vers le bas, sur la lèchefrite. Faites griller les tomates pendant 5 minutes ou jusqu'à ce que la peau noircisse et que les tomates soient très tendres.

Tomates grillées sur le feu et pâtes gemelli

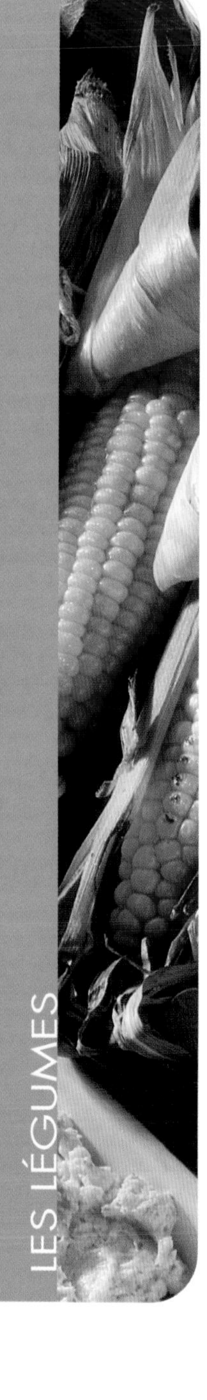

Fettucinis aux légumes grillés

1 grosse courgette
1 grosse courge jaune
1 poivron rouge moyen
1 poivron jaune ou vert moyen
¼ tasse de vinaigrette italienne non crémeuse du commerce
⅔ tasse de lait
1 cuillère à table de beurre ou de margarine
1 paquet (4,7 oz) de fettucinis
¾ tasse (3 oz) de fromage de chèvre ou de feta défait en morceaux
¼ tasse de basilic frais en juliennes

1. Préchauffez le barbecue ou la rôtissoire. Coupez la courgette et la courge en longueur, puis en quartiers. Coupez les poivrons en longueur, puis en quartiers ; jetez les tiges et les graines. Badigeonnez les légumes de vinaigrette sur toutes leurs surfaces. Faites griller pendant 10 à 12 minutes sur un feu d'intensité moyenne ou maximum sur la grille du haut ou jusqu'à ce que les légumes soient tendres, en les tournant à l'occasion.

2. Pendant ce temps, dans un poêlon moyen, amenez 1¼ tasse d'eau, le lait, la margarine, les pâtes et les assaisonnements à ébullition. Réduisez le feu à une intensité moyenne à basse. Faites frémir à découvert pendant 5 à 6 minutes ou jusqu'à ce que les pâtes soient légèrement fermes, en remuant à l'occasion.

3. Coupez les légumes grillés en morceaux de ½ po et ajoutez-les, en remuant, dans le mélange de pâtes. Laissez reposer pendant 3 minutes. Ajoutez le fromage et le basilic.

Donne 4 portions

Astuce : Accélérez la préparation en utilisant les restes de légumes grillés de votre barbecue du week-end dernier…

Temps de préparation : 15 minutes
Temps de cuisson : 20 minutes

Fettucinis aux légumes grillés

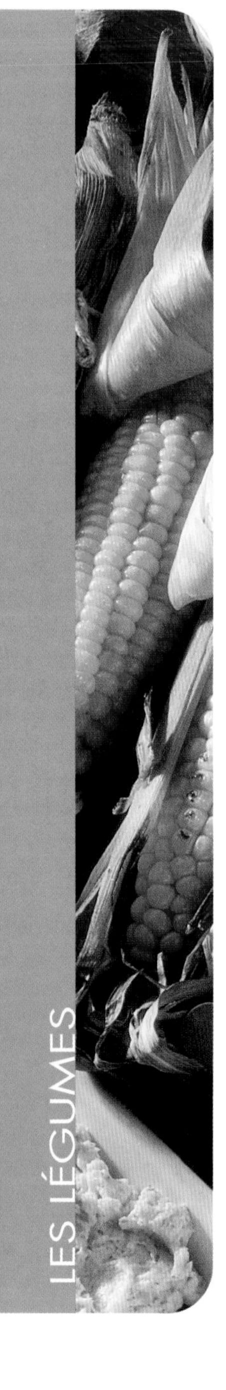

Courge spaghetti avec haricots noirs et courgettes

1 courge spaghetti (environ 2 livres)
2 courgettes coupées en tranches de ¼ po d'épaisseur
Aérosol de cuisson antiadhésif
2 tasses de tomates épépinées coupées en morceaux
1 boîte (env. 15 oz) de haricots noirs rincés et égouttés
2 cuillères à table de basilic frais haché
2 cuillères à table d'huile d'olive
2 cuillères à table de vinaigre de vin rouge
1 grosse gousse d'ail hachée
½ cuillère à thé de sel

1. Percez la courge spaghetti en plusieurs endroits avec une fourchette. Enveloppez-la dans une grande feuille d'aluminium robuste à l'aide de la technique d'emballage de pharmacie*. Faites griller la courge à couvert sur la grille à feu moyen pendant 45 minutes à 1 heure ou jusqu'à ce que la chair s'écrase facilement avec le dos d'une cuillère. Tournez-la d'un quart de tour toutes les 15 minutes. Retirez la courge du feu et laissez reposer dans le papier d'aluminium de 10 à 15 minutes.

2. Pendant ce temps, vaporisez les deux côtés des tranches de courgettes avec de l'aérosol de cuisson. Faites griller à feu moyen découvert pendant 4 minutes ou jusqu'à tendreté, en les retournant une fois.

3. Retirez la courge spaghetti du papier d'aluminium et coupez-la en deux ; retirez les graines à la cuillère. À l'aide de deux fourchettes, peignez des languettes de chair de chaque moitié et placez-les dans un grand bol. Ajoutez les tomates, les haricots, les zucchinis et le basilic. Combinez l'huile d'olive, le vinaigre, l'ail et le sel dans un petit bol ; mélangez bien. Ajoutez aux légumes et mélangez délicatement. Servez avec du pain baguette grillé et décorez, si désiré. *Donne 4 portions*

**Placez l'aliment au centre d'une feuille oblongue d'aluminium en laissant au moins 2 pouces autour de l'aliment. Ramenez les deux côtés les plus longs ensemble au-dessus de l'aliment. Repliez-les en une série de plis en laissant de la place à la circulation de la chaleur et à l'expansion. Repliez les deux courtes extrémités sur elles-mêmes. Écrasez bien les plis pour sceller la papillote d'aluminium.*

Courge spaghetti avec haricots noirs et courgettes

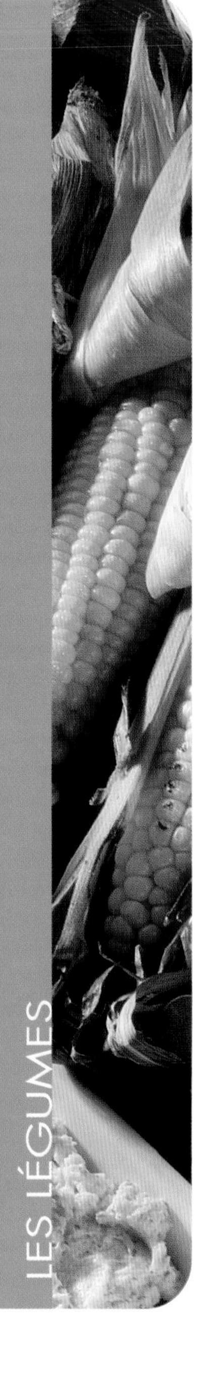

Muffuletta aux légumes grillés

10 gousses d'ail pelées
Aérosol de cuisson antiadhésif
1 cuillère à table de vinaigre balsamique
1 cuillère à table de jus de citron
1 cuillère à table d'huile d'olive
¼ cuillère à thé de poivre noir moulu
1 miche ronde de pain au levain et au blé entier (1 livre)
1 aubergine moyenne coupée en 8 tranches de ¼ po d'épaisseur
2 petites courges jaunes coupées en fines tranches dans le sens de la longueur
1 petit oignon rouge tranché finement
1 gros poivron rouge épépiné et coupé en quartiers
2 tranches de fromage suisse (1 oz chacune)
8 feuilles d'épinards lavées

1. Préchauffez le four à 350 °F. Placez l'ail dans un petit plat allant au four. Vaporisez d'aérosol de cuisson. Recouvrez de papier d'aluminium ; cuisez de 30 à 35 minutes ou jusqu'à ce que l'ail soit très mou et doré.

2. Déposez l'ail, le vinaigre, le jus de citron, l'huile d'olive et le poivre noir dans le robot culinaire et malaxez par intermittence jusqu'à l'obtention d'une consistance lisse. Réservez.

3. Tranchez le dessus de la miche de pain. Évidez la mie en laissant une coquille de ½ po d'épaisseur. Réservez le pain pour une autre utilisation, si désiré.

4. Préparez le barbecue pour une cuisson directe. Badigeonnez l'aubergine, la courge, l'oignon et le poivron avec le mélange à l'ail. Répartissez les légumes sur la grille sur un feu moyen. Faites griller de 10 à 12 minutes ou jusqu'à ce que les légumes soient tendres mais croquants, en les tournant une fois. Séparez les tranches d'oignon.

5. Faites une couche avec la moitié des aubergines, de la courge, de l'oignon, du poivron, du fromage et des épinards dans le pain évidé. Appuyez délicatement entre chaque couche. Répétez les couches avec le reste des légumes, du fromage et des épinards. Replacez le chapeau du pain et servez immédiatement ou couvrez d'une pellicule plastique et réfrigérez jusqu'à 4 heures. Coupez en quartiers avant de servir.

Donne 6 portions

Muffuletta aux légumes grillés

Flétan et salsa à l'ananas

Salsa à l'ananas

¾ tasse d'ananas frais en dés ou 1 boîte (8 oz) de morceaux d'ananas non sucrés et égouttés
2 cuillères à table de poivron rouge haché finement
2 cuillères à table de coriandre hachée fraîche
2 cuillères à thé d'huile végétale
1 cuillère à thé de gingembre haché fin ou de gingembre frais râpé finement
1 cuillère à thé de piment jalapeño haché fin ou de piment jalapeño frais*

Flétan

4 darnes de flétan ou d'espadon (6 oz chacune) coupées à environ ¾ de po d'épaisseur
1 cuillère à table d'huile d'olive aromatisée à l'ail**
¼ cuillère à thé de sel

**Les piments jalapeños peuvent brûler et irriter la peau ; portez des gants en caoutchouc lorsque vous manipulez les piments et ne vous touchez pas les yeux. Lavez vos mains après la manipulation.*

***Vous pouvez la remplacer par ¼ de cuillère à thé d'ail haché fin et 1 cuillère à table d'huile d'olive.*

1. Pour la salsa, combinez tous les ingrédients dans un petit bol ; mélangez bien. Couvrez et réfrigérez jusqu'au moment de servir.

2. Préparez le barbecue pour une cuisson directe. Badigeonnez le flétan d'huile d'olive et saupoudrez de sel.

3. Faites griller le flétan à feu découvert d'intensité moyenne-élevée pendant 8 minutes ou jusqu'à ce qu'il se détache en flocons avec la fourchette. Tournez-le une fois.

4. Déposez la salsa sur le flétan et servez immédiatement.

Donne 4 portions

Suggestion de service : Servez avec un riz pilaf.

Flétan et salsa à l'ananas

Crevettes grésillantes de Floride

1½ livre de crevettes crues, décortiquées et déveinées
1 tasse de champignons coupés en deux
½ tasse de morceaux de poivrons rouges (1 po)
½ tasse de morceaux d'oignon (1 po)
1 pot (8,9 oz) de sauce au poivre au citron du commerce

Enfilez les crevettes sur les brochettes avec les champignons, les morceaux de poivron et d'oignon. Déposez les brochettes dans un plat de verre et recouvrez de sauce. Réservez environ 2 cuillères à table de sauce pour badigeonner pendant la cuisson. Couvrez et réfrigérez pendant 1 heure. Préparez la surface du gril en nettoyant la grille avant de l'enduire d'huile. Les charbons sont prêts lorsqu'ils ne s'enflamment plus et qu'ils sont plutôt couverts de cendre grise. Déposez les brochettes sur la grille à environ 6 po des charbons. Faites griller les crevettes de 3 à 4 minutes de chaque côté en les badigeonnant avant de les retourner une seule fois. Servez avec des asperges sautées et du pain à l'ail grillé. *Donne 4 portions*

Saumon barbecue

4 darnes de saumon de ¾ à 1 po d'épaisseur
3 cuillères à table de jus de citron
2 cuillères à table de sauce soya
Sel et poivre noir moulu
½ tasse de sauce barbecue
Tiges d'origan frais
Champignons grillés (facultatif)

Rincez le saumon et tamponnez-le avec du papier essuie-tout pour l'assécher. Combinez le jus de citron avec la sauce soya dans un plat de verre peu profond. Ajoutez le saumon et laissez reposer à la température ambiante pendant un maximum de 15 à 20 minutes en le tournant à plusieurs reprises. Retirez le saumon de la marinade; jetez la marinade. Assaisonnez légèrement avec du sel et du poivre.

Huilez légèrement la grille chaude pour empêcher les aliments de coller. Faites griller le saumon à feu moyen découvert pendant 10 à 14 minutes. À la mi-cuisson, badigeonnez-le de sauce barbecue, puis tournez-le et continuez la cuisson jusqu'à ce qu'il soit cuit. Retirez le poisson et badigeonnez avec le reste de sauce barbecue. Décorez avec l'origan et les champignons. *Donne 4 portions*

Crevettes grésillantes de Floride

Tacos de fruits de mer avec salsa aux fruits

2 cuillères à table de jus de citron
1 cuillère à thé de poudre de chili
1 cuillère à thé de quatre-épices moulu
1 cuillère à thé d'huile d'olive
1 cuillère à thé d'ail haché
1 ou 2 cuillères à thé de zeste de citron râpé
½ cuillère à thé de clous de girofle moulus
1 livre de filet de flétan ou de vivaneau
12 tortillas de maïs (6 po) ou 6 tortillas de farine (7 à 8 po)
3 tasses de feuilles de laitue romaine déchiquetées
1 petit oignon rouge coupé en deux et finement tranché
Salsa aux fruits (recette ci-dessous)

1. Combinez le jus de citron, la poudre de chili, le quatre-épices, l'huile, l'ail, le zeste de citron et les clous de girofle dans un petit bol. Frottez ce mélange sur le poisson ; couvrez et réfrigérez pendant que le barbecue chauffe. (Le poisson peut être coupé en plus petits morceaux pour faciliter sa manipulation.)

2. Préparez la salsa aux fruits. Vaporisez la grille d'un gras de cuisson antiadhésif. Ajustez la grille à 4 à 6 pouces de distance de la source de chaleur. Préchauffez à une intensité moyenne-élevée. Faites griller le poisson à couvert pendant 3 minutes ou jusqu'à ce qu'il soit légèrement doré. Tournez-le délicatement. Faites-le griller pendant 2 minutes ou jusqu'à ce qu'il soit opaque au centre. Retirez du feu et coupez en 12 morceaux ; retirez les arêtes au besoin. Couvrez-le pour le garder chaud.

3. Placez les tortillas sur la grille en une seule couche et chauffez pendant 5 à 10 secondes. Tournez-les et chauffez pendant 5 à 10 secondes ou jusqu'à ce qu'elles deviennent chaudes et malléables. Empilez et couvrez pour les garder chaudes.

4. Garnissez chaque tortilla de ¼ de tasse de laitue, d'oignon rouge, de poisson et de salsa aux fruits.

Donne 6 portions

Salsa aux fruits

1 petite papaye mûre pelée, épépinée et coupée en dés
1 petite banane ferme coupée en dés
2 oignons verts hachés finement
3 cuillères à table de coriandre ou de menthe fraîche hachée
3 cuillères à table de jus de lime
2 piments jalapeños épépinés et hachés finement

Mélangez tous les ingrédients dans un petit bol. Servez à la température ambiante.

Tacos de fruits de mer avec salsa aux fruits

Espadon grillé avec sauce piquante

2 ou 3 oignons verts
4 darnes d'espadon ou de flétan (environ 1,5 lb au total)
2 cuillères à table de pâte de fève piquante*
2 cuillères à table de sauce soya
2 cuillères à table de sel au sésame (recette ci-dessous)
4 cuillères à thé de sucre
4 gousses d'ail hachées finement
1 cuillère à table d'huile de sésame foncée
⅛ cuillère à thé de poivre noir moulu

**Disponible dans les boutiques spécialisées et les épiceries asiatiques.*

1. Vaporisez la grille du barbecue ou de la rôtissoire avec de l'aérosol de cuisson antiadhésif. Préparez les charbons ou préchauffez la rôtissoire.

2. Hachez finement suffisamment d'oignons verts pour remplir ¼ de tasse ; réservez. Préparez le sel au sésame ; réservez.

3. Rincez l'espadon et tamponnez-le avec du papier essuie-tout pour l'assécher. Déposez-le dans un plat en verre peu profond.

4. Combinez tous les ingrédients dans un petit bol ; mélangez bien.

5. Étendez la moitié de la marinade sur le poisson. Retournez le poisson et étendez le reste de la marinade. Couvrez et réfrigérez pendant 30 minutes.

6. Retirez le poisson de la marinade ; jetez la marinade. Déposez le poisson sur la grille préparée. Faites-le griller sur un feu d'intensité moyenne-élevée pendant 4 à 5 minutes ou jusqu'à ce qu'il soit opaque. Décorez au goût. *Donne 4 portions*

Sel au sésame

½ tasse de graines de sésame
¼ cuillère à thé de sel

Faites chauffer une petite poêle à frire à feu moyen. Ajoutez-y les graines de sésame. Cuisez et remuez pendant environ 5 minutes ou jusqu'à ce qu'elles soient dorées. Laissez refroidir. Broyez les graines de sésame grillées et le sel avec un mortier et un pilon ou malaxez-les dans un moulin à café ou à épices.

Réfrigérez dans un pot de verre fermé.

Espadon grillé avec sauce piquante

Hamburgers de saumon faciles avec sauce barbecue au miel

⅓ tasse de miel
⅓ tasse de ketchup
1 ½ cuillère à thé de vinaigre de cidre
1 cuillère à thé de raifort préparé
¼ cuillère à thé d'ail haché
⅛ cuillère à thé de flocons de piment broyés (facultatif)
1 boîte (7,5 oz) de saumon égoutté
½ tasse de chapelure ou de miettes de pain sec
¼ tasse d'oignon haché
3 cuillères à table de poivron vert haché
1 blanc d'œuf
2 pains hamburgers grillés

Dans un petit bol, combinez le miel, le ketchup, le vinaigre, le raifort, l'ail et les flocons de piment jusqu'à ce que le tout soit bien mélangé. Réservez la moitié de la sauce. Dans un bol séparé, mélangez ensemble le saumon, la chapelure, l'oignon, le poivron vert et le blanc d'œuf. Mélangez en ajoutant 2 cuillères à table de sauce. Divisez en 2 galettes de ½ à ¾ po d'épaisseur. Déposez les galettes sur une grille bien huilée à une distance de 4 à 6 po des charbons. Faites griller en retournant 2 ou 3 fois et badigeonnez avec le reste de la sauce jusqu'à ce que les hamburgers soient dorés et bien cuits.

Vous pouvez aussi déposer les galettes sur une plaque de cuisson légèrement huilée. Faites griller de 4 à 6 po de la source de chaleur en tournant les galettes 2 ou 3 fois et en badigeonnant avec le reste de la sauce jusqu'à ce qu'elles soient bien cuites. Déposez sur les pains et servez avec la sauce réservée.

Donne 2 portions

Hamburgers de saumon faciles avec sauce barbecue au miel

Crevettes grillées à la lime et à la tequila

1 livre de grosses crevettes crues, décortiquées et déveinées
½ poivron jaune coupé en morceaux de ½ po
6 oignons verts en morceaux de 1½ po
16 tomates cerises
8 brochettes de bambou
1 tasse de marinade à la lime (de préférence avec jus de lime) du commerce
1 lime coupée en 8 quartiers

Enfilez les crevettes, le poivron, les oignons et les tomates sur les brochettes en divisant également les ingrédients. Badigeonnez généreusement et souvent avec la marinade à la lime pendant la cuisson. Cuisez jusqu'à ce que les crevettes deviennent roses, sans trop les cuire. Servez chaque brochette avec un quartier de lime.

Donne 8 brochettes (4 portions)

Idée-repas : Servez avec votre recette préférée de pâtes, de riz ou d'orzo en accompagnement.

Variations : Elles sont aussi succulentes lorsque servies sur un pain pita avec de la laitue déchiquetée et du jus de lime. Essayez-les aussi enroulées dans une tortilla de farine. Les deux idées conviennent parfaitement aux pique-niques et aux fêtes !

Astuce : Faites tremper les brochettes de bambou dans l'eau pendant 30 minutes avant de les utiliser, cela les empêchera de brûler.

Temps de préparation : 15 minutes
Temps de cuisson : 7 à 10 minutes

Crevettes grillées à la lime et à la tequila

Barbue avec relish de maïs

4 filets de barbue d'au moins ½ po d'épaisseur (environ 6 oz chacun)
2 cuillères à table de paprika
½ cuillère à thé de flocons de piment broyés
½ cuillère à thé de sel
Relish de maïs (recette ci-dessous)
Quartiers de lime
Pommes de terre grillées (facultatif)
Estragon pour décorer

Rincez le poisson et tamponnez-le avec du papier essuie-tout pour l'assécher. Combinez le paprika, le piment et le sel dans une tasse et saupoudrez-en légèrement les deux côtés du poisson.

Huilez la grille chaude pour empêcher le poisson de coller. Faites griller le poisson à feu moyen couvert pendant 5 à 9 minutes. Retournez le poisson à la mi-cuisson et continuez la cuisson jusqu'à ce qu'il devienne opaque. (Le temps de cuisson dépend de l'épaisseur du poisson : accordez de 3 à 5 minutes de cuisson pour chaque ½ po d'épaisseur.) Servez avec la relish de maïs , les quartiers de lime et les pommes de terre, si désiré. Décorez d'estragon. *Donne 4 portions*

Relish de maïs

¼ tasse de maïs frais cuit ou décongelé
¼ tasse de poivron vert en petits dés
¼ tasse d'oignon rouge émincé finement
1 cuillère à table d'huile végétale
2 cuillères à table de vinaigre de riz aromatisé (sucré)
Sel et poivre noir moulu
½ tasse de tomates cerises coupées en quartiers

Mélangez le maïs, le poivron vert, l'oignon, l'huile et le vinaigre dans un bol moyen. Assaisonnez de sel et de poivre. Couvrez et réfrigérez jusqu'au moment de servir. Juste avant de servir, ajoutez les tomates en les mélangeant délicatement.

Donne environ 1½ tasse

Barbue avec relish de maïs

Thon Vera Cruz

3 cuillères à table de tequila, de rhum ou de vodka
2 cuillères à table de jus de lime
2 cuillères à thé de zeste de lime râpé
1 morceau (cube de 1 po) de gingembre frais haché
2 gousses d'ail hachées finement
1 cuillère à thé de sel
1 cuillère à thé de sucre
½ cuillère à thé de cumin moulu
¼ cuillère à thé de cannelle moulue
¼ cuillère à thé de poivre noir moulu
1 cuillère à table d'huile végétale
1 ½ livre de darnes de thon, de flétan, d'espadon ou de requin frais
Quartiers de citron et de lime
Romarin frais

Combinez la tequila, le jus de lime, le zeste, le gingembre, l'ail, le sel, le sucre, le cumin, la cannelle et le poivre dans un plat de verre. Ajoutez l'huile tout en mélangeant. Ajoutez le poisson et retournez-le pour bien enrober. Recouvrez et réfrigérez pendant au moins 30 minutes. Retirez le poisson de la marinade ; jetez la marinade.

Faites griller le poisson pendant environ 4 minutes par côté sur un feu moyen-élevé jusqu'à ce qu'il se détache en flocons sous la fourchette. Décorez de quartiers de lime, de citron et de romarin.

Donne 4 portions

La variété de sauce barbecue la plus populaire est celle aromatisée au hickory.

Thon Vera Cruz

Vivaneau grillé à la teriyaki

2 vivaneaux rouges ou 2 bars d'Amérique entiers (1,5 livre chacun) écaillés et évidés
⅓ tasse de sauce Worcestershire
⅓ tasse d'huile d'arachide
⅓ tasse de vinaigre de riz
¼ tasse d'oignon vert haché
1 cuillère à table d'huile de sésame foncée
1 cuillère à table de gingembre frais haché
3 gousses d'ail hachées
Salade de chou asiatique (recette ci-contre)

Rincez le poisson et déposez-le dans un grand sac de plastique refermable ou dans un plat en verre peu profond. Pour préparer la marinade, versez tous les ingrédients dans un robot culinaire ou un mélangeur. Couvrez et malaxez jusqu'à l'obtention d'une consistance lisse. Réservez ¼ de tasse de marinade pour le service. Versez le reste sur le poisson. Refermez le sac ou couvrez le plat et marinez au réfrigérateur pendant 1 heure.

Placez le poisson dans un panier huilé en réservant de la marinade pour badigeonner. Faites griller sur un feu moyen-élevé pendant 10 à 12 minutes par côté ou jusqu'à ce qu'il se détache en flocons sous la fourchette. Badigeonnez à l'occasion avec la marinade. (Ne badigeonnez pas pendant les 5 dernières minutes de cuisson.) Jetez le reste de marinade ayant servi à badigeonner. Retirez délicatement les arêtes du poisson. Versez ¼ de tasse de marinade réservée sur le poisson. Servez avec la salade de chou asiatique. Décorez au goût. *Donne 4 portions*

Temps de préparation : 10 minutes
Temps de marinade : 1 heure
Temps de cuisson : 25 minutes

Salade de chou asiatique

½ petit chou nappa effiloché (environ 4 tasses)*
3 carottes
2 poivrons rouges ou jaunes épépinés et coupés en très minces languettes
¼ livre de pois mange-tout parés et coupés en fines languettes
⅓ tasse d'huile d'arachide
¼ tasse de vinaigre de riz
3 cuillères à table de sauce Worcestershire
1 cuillère à table d'huile de sésame foncée
1 cuillère à table de miel
2 gousses d'ail hachées finement

**Vous pouvez remplacer le chou nappa par du chou vert haché.*

Placez les légumes dans un grand bol. Fouettez ensemble le reste des ingrédients dans un petit bol jusqu'à ce que tous les ingrédients soient bien mélangés. Versez la vinaigrette sur les légumes et mélangez bien pour enrober uniformément. Couvrez et réfrigérez pendant au moins 1 heure avant de servir. *Donne de 4 à 6 portions*

Temps de préparation : 20 minutes
Temps de réfrigération : 1 heure

Filet de saumon grillés au mesquite

2 cuillères à table d'huile d'olive
1 gousse d'ail hachée finement
2 cuillères à table de jus de citron
1 cuillère à thé de zeste de citron râpé
½ cuillère à thé d'aneth
½ cuillère à thé de thym séché
¼ cuillère à thé de sel
¼ cuillère à thé de poivre noir moulu
4 filets de saumon de ¾ à 1 po d'épaisseur (environ 5 oz chacun)

1. Couvrez 1 tasse de copeaux de mesquite d'eau froide; laissez tremper de 20 à 30 minutes. Vaporisez la grille d'un gras de cuisson antiadhésif. Préparez le barbecue pour une cuisson directe.
2. Combinez l'huile avec l'ail dans un petit bol allant au micro-ondes. Chauffez à intensité élevée pendant 1 minute ou jusqu'à ce que l'ail soit tendre. Ajoutez-y le reste des ingrédients. Fouettez jusqu'à ce que tous les ingrédients soient bien mélangés. Badigeonnez le côté charnu du saumon avec la moitié de ce mélange.
3. Égouttez les copeaux de mesquite et saupoudrez-les sur les briquettes. Déposez le saumon, côté peau vers le haut, sur la grille. Faites griller à feu moyen-élevé couvert pendant 4 à 5 minutes. Retournez-le et badigeonnez-le de mélange au citron. Faites griller de 4 à 5 minutes ou jusqu'à ce qu'il se détache en flocons sous la fourchette.

Donne 4 portions

Crevettes grillées Dijon et miel

¼ tasse de jus de citron
¼ tasse de jus d'orange
¼ tasse de miel
2 cuillères à table de moutarde de Dijon
½ cuillère à thé de sel
¼ cuillère à thé de poivre blanc moulu
1 livre de grosses crevettes crues, décortiquées et déveinées
1 oignon coupé en quartiers
8 tomates cerises
2 limes coupées en quartiers

Combinez le jus de citron, le jus d'orange, le miel, la moutarde, le sel et le poivre dans un bol moyen; mélangez bien. Répartissez les crevettes, l'oignon, les tomates et les limes dans un panier bien huilé. Badigeonnez-les avec la marinade. Faites griller de 4 à 6 minutes ou jusqu'à ce que les crevettes soient roses, en les retournant une fois et en badigeonnant souvent de marinade.

Donne 4 portions

Filet de saumon grillés au mesquite

Vivaneau rouge grillé avec salsa à la papaye et à l'avocat

1 cuillère à thé de graines de coriandre moulues
1 cuillère à thé de paprika
¾ cuillère à thé de sel
⅛ à ¼ cuillère à thé de piment de Cayenne moulu
1 cuillère à table d'huile d'olive
4 filets de vivaneau rouge ou de flétan sans peau (5 à 7 oz chacun)
½ tasse de cubes d'avocat mûr
½ tasse de cubes de papaye mûre
2 cuillères à table de coriandre fraîche hachée
1 cuillère à table de jus de lime
4 quartiers de lime

1. Préparez le barbecue pour une cuisson directe. Combinez la coriandre, le paprika, le sel et le piment rouge dans un petit bol ou dans une tasse ; mélangez bien.

2. Badigeonnez l'huile sur le poisson. Saupoudrez 2½ cuillères à thé du mélange d'épices sur le poisson ; réservez le reste. Placez le poisson sur une grille huilée, sur un feu moyen-élevé. Faites griller 5 minutes par côté ou jusqu'à ce que le poisson soit opaque.

3. Pendant ce temps, combinez l'avocat, la papaye, la coriandre, le jus de lime et le reste du mélange d'épices dans un bol moyen ; mélangez bien. Servez le poisson avec la salsa et décorez de quartiers de lime. *Donne 4 portions*

Vivaneau rouge grillé avec salsa à la papaye et à l'avocat

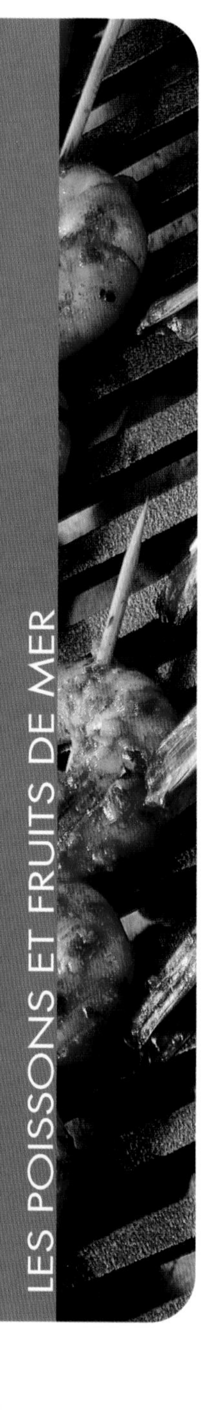

Quesadillas de saumon grillé avec salsa au concombre

1 concombre moyen pelé, épépiné et coupé en petits morceaux
½ tasse de salsa rouge ou verte
1 filet de saumon (8 oz)
3 cuillères à table d'huile d'olive
4 grandes tortillas de farine (10 po) réchauffées
6 onces de fromage de chèvre en morceaux ou 1½ tasse de Monterey Jack râpé
¼ tasse de piments jalapeños marinés et tranchés*

**Les piments jalapeños peuvent brûler et irriter la peau ; portez des gants en caoutchouc lorsque vous manipulez les piments et ne vous touchez pas les yeux. Lavez vos mains après la manipulation.*

1. Préparez le barbecue pour une cuisson directe. Combinez le concombre et la salsa dans un petit bol ; réservez.

2. Badigeonnez 2 cuillères à table d'huile sur le saumon. Faites griller le poisson pendant 5 à 6 minutes par côté sur un feu moyen-élevé jusqu'à ce qu'il se détache en flocons sous la fourchette. Transférez-le dans une assiette ; émiettez à la fourchette.

3. Déposez le saumon à la cuillère sur chaque moitié de tortilla, en laissant 1 po tout autour. Saupoudrez de fromage et de tranches de piment jalapeño. Repliez les tortillas en deux et badigeonnez-les de 1 cuillère à table d'huile.

4. Faites griller les quesadillas sur un feu moyen-élevé jusqu'à ce qu'elles soient dorées des deux côtés et que le fromage soit fondu. Servez avec la salsa au concombre.

Donne 4 portions

Temps de préparation et de cuisson : 20 minutes

Quesadilla de saumon grillé avec salsa au concombre

Saumon avec salsa rafraîchissante à l'ananas

1 bouteille (12 oz) de marinade teriyaki avec jus d'ananas du commerce
1 ¼ livre de filets ou de darnes de saumon frais
1 tasse d'ananas frais ou en conserve coupé en cubes (½ po) et bien égoutté
¼ tasse d'oignon rouge en cubes (¼ po)
1 cuillère à table de coriandre fraîche hachée
2 cuillères à table de poivron rouge en cubes (¼ po)
1 cuillère à table de piment jalapeño frais haché finement

Dans un sac de plastique refermable, combinez 1 tasse de sauce teriyaki avec le saumon ; refermez le sac. Marinez au réfrigérateur de 30 minutes à plusieurs heures. Dans un petit bol, mélangez légèrement 2 cuillères à table de marinade, l'ananas, l'oignon, la coriandre, le poivron rouge et le piment. Laissez la salsa à l'ananas reposer à la température ambiante jusqu'à 1 heure. Retirez le saumon du sac ; jetez la marinade utilisée. Faites griller le saumon des deux côtés sur un feu élevé pendant 5 à 6 minutes par côté en badigeonnant avec le reste de marinade jusqu'à ce que le poisson commence à se détacher en flocons. Coupez le poisson en 4 morceaux et servez-le avec la salsa à la température ambiante.

Donne 4 portions

Idée-repas : Servez avec votre recette préférée de pâtes, de riz ou d'orzo en accompagnement. Peut aussi être servi en roulé dans une grande tortilla de farine. Émiettez le saumon en gros morceaux, ajoutez la salsa et roulez pour bien contenir la garniture.

Variations : Cette recette est aussi succulente avec d'autres marinades, par exemple une marinade jerk avec jus de papaye ou une marinade hawaïenne avec jus de fruits tropicaux.

Temps de préparation : 15 minutes
Temps de marinade : 30 minutes
Temps de cuisson : 10 à 12 minutes

Saumon avec salsa rafraîchissante à l'ananas

Poisson Shanghai en papillote

4 filets de perche de mer ou de tile (4 à 6 oz chacun)
¼ tasse de mirin* ou de vin du Rhin
3 cuillères à table de sauce soya
1 cuillère à table d'huile de sésame foncée
1 ½ cuillère à thé de gingembre frais râpé
¼ cuillère à thé de flocons de piment
1 cuillère à table d'huile d'arachide ou végétale
1 gousse d'ail hachée finement
1 paquet (10 oz) de feuilles d'épinards frais sans la tige

**Le mirin est un vin japonais sucré que l'on retrouve dans les épiceries spécialisées.*

1. Préparez le barbecue pour une cuisson directe.

2. Déposez le poisson en une seule couche dans un grand plat peu profond. Combinez le mirin, la sauce soya, l'huile de sésame, le gingembre et les flocons de piment dans un petit bol; versez sur le poisson. Couvrez et marinez au réfrigérateur pendant 20 minutes.

3. Faites chauffer l'huile à feu moyen dans une grande poêle à frire. Ajoutez l'ail; faites cuire et mélangez pendant 1 minute. Ajoutez les épinards; cuire et mélanger pendant environ 3 minutes en remuant avec 2 cuillères de bois.

4. Déposez le mélange d'épinards au centre de quatre carrés de papier d'aluminium robuste de 12 po. Retirez le poisson de la marinade; réservez la marinade. Déposez 1 filet de poisson sur chaque nid d'épinards. Répartissez uniformément la marinade réservée sur le poisson. Emballez avec le papier d'aluminium.

5. Déposez les papillotes sur la grille. Faites-les cuire, à feu moyen couvert, pendant 15 à 18 minutes ou jusqu'à ce que le poisson s'émiette sous la fourchette.

Donne 4 portions

Poisson Shanghai en papillote

Thon à la niçoise en brochette

½ tasse d'huile d'olive
¼ tasse de vinaigre balsamique
3 gousses d'ail hachées
1 cuillère à table de romarin frais haché
½ cuillère à thé de poivre noir moulu
1 livre de darnes de thon coupées en morceaux de 1½ po
1½ livre de pommes de terre rouge moyennes, coupées en quartiers
1 gros oignon rouge coupé en 8 quartiers égaux
½ livre de haricots verts parés et coupés en morceaux de 2 po
8 tasses de laitue mélangée
1 grosse tomate coupée en 8 quartiers
12 olives dénoyautées coupées
2 blancs d'œufs cuits dur émincés
1 cuillère à table de câpres égouttées

1. Combinez l'huile, le vinaigre, l'ail, le romarin et le poivre dans un robot culinaire ou un mélangeur et malaxez jusqu'à ce que le romarin soit finement haché. Versez ¼ de tasse de vinaigrette dans un bol moyen. Ajoutez le poisson; retournez pour bien enrober. Couvrez et réfrigérez pendant 1 heure. Versez le reste de la vinaigrette dans un récipient qui se referme hermétiquement.

2. Faites cuire les pommes de terre dans l'eau bouillante pendant 6 minutes ou jusqu'à tendreté. Transférez dans un bol moyen; ajoutez l'oignon. Agitez la vinaigrette et versez-en environ 2 cuillères à table sur le mélange de pommes de terre. Remuez-le légèrement pour bien enrober.

3. Ajoutez les haricots verts dans une eau frémissante et cuisez pendant 3 minutes ou jusqu'à ce qu'ils soient *al dente*. Égouttez et rincez à l'eau froide.

4. Enfilez les pommes de terre et l'oignon sur des brochettes. Enfilez le thon sur des brochettes séparées. Faites griller les légumes à feu moyen-élevé pendant 10 minutes ou jusqu'à ce qu'ils soient dorés. Faites griller le thon de 6 à 8 minutes ou jusqu'à ce qu'il se détache en flocons sous la fourchette.

5. Mélangez la laitue avec ¼ de tasse de vinaigrette; transférez dans une grande assiette. Mélangez les haricots verts avec le reste de la vinaigrette; disposez sur la laitue. Retirez le thon, les pommes de terre et l'oignon des brochettes et disposez-les sur la salade. Décorez de tomates, d'olives, de blancs d'œufs et de câpres.

Donne 6 portions

Thon à la niçoise en brochette

Brochettes de fruits de mer

Aérosol de cuisson antiadhésif
1 livre de grosses crevettes crues, décortiquées et déveinées
10 onces de darnes d'espadon ou de flétan sans peau (1 po d'épaisseur)
2 cuillères à table de moutarde au miel
2 cuillères à thé de jus de citron
8 tranches de bacon
Quartiers de citron et herbes fraîches (facultatif)

1. Vaporisez la grille d'un gras de cuisson antiadhésif. Préparez le barbecue pour une cuisson directe.

2. Déposez les crevettes dans un plat en verre peu profond. Coupez le poisson en cubes de 1 po et déposez-les aussi dans le plat. Combinez la moutarde avec le jus de citron dans un petit bol. Versez sur le mélange de crevettes et remuez doucement pour bien enrober.

3. Faites pénétrer une brochette de métal de 12 po à l'extrémité d'une tranche de bacon. Ajoutez 1 crevette. Transpercez de nouveau la tranche de bacon en l'enrobant autour de l'autre côté de la crevette.

4. Ajoutez 1 morceau de poisson. Transpercez de nouveau la tranche de bacon en l'enrobant autour de l'autre côté du morceau de poisson. Continuez d'ajouter du poisson et des crevettes ainsi que de tricoter avec le bacon en poussant les aliments vers le milieu de la brochette jusqu'à ce que la tranche de bacon soit complètement enfilée. Répétez avec les 7 autres brochettes. Badigeonnez le mélange à la moutarde restant sur les brochettes.

5. Déposez les brochettes sur la grille. Faites griller à feu couvert sur des charbons à température moyenne pendant 8 à 10 minutes ou jusqu'à ce que les crevettes soient opaques et que le poisson se détache en flocons sous la fourchette. Tournez à la mi-cuisson. Décorez de quartiers de citron et d'herbes fraîches, si désiré.

Donne 4 portions (2 brochettes par personne)

Note: Les brochettes peuvent être préparées jusqu'à 3 heures avant la cuisson. Couvrez et réfrigérez jusqu'au moment de faire cuire.

Brochettes de fruits de mer

Pêches grillées avec sauce à la framboise

1 paquet (10 oz) de framboises surgelées, décongelées
1½ cuillère à thé de jus de citron
3 cuillères à table de cassonade
1 cuillère à table de rhum (facultatif)
1 cuillère à thé de cannelle moulue
4 pêches moyennes pelées, coupées en deux et dénoyautées
2 cuillères à thé de beurre
Menthe fraîche (facultatif)

1. Combinez les framboises avec le jus de citron au robot culinaire. Malaxez avec la lame de métal jusqu'à l'obtention d'une consistance lisse. Réfrigérez jusqu'au moment de servir.

2. Combinez la cassonade, le sucre, le rhum (si désiré) et la cannelle dans un bol moyen ; recouvrez les moitiés de pêches de ce mélange. Déposez les moitiés de pêche, côté coupé vers le haut, sur du papier d'aluminium. Déposez une noix de beurre sur chacune. Repliez le papier d'aluminium sur les pêches en laissant de l'espace sur le dessus pour la circulation de la chaleur et refermez. Faites griller sur un feu moyen pendant 15 minutes.

3. Pour servir, déposez 2 cuillères à table de sauce à la framboise sur chaque moitié de pêche. Décorez de menthe fraîche, si désiré.

Donne 4 portions

Salade ABC

2 pommes vertes évidées et coupées en fines languettes
1 paquet (10 oz) de brocoli râpé avec carottes
3 tiges de céleri coupées en fines tranches diagonales
1 bulbe de fenouil paré et coupé en fines languettes
4 cuillères à table de vinaigrette crémeuse du commerce
1 cuillère à table de jus de citron
½ cuillère à thé de flocons de piment

Combinez tous les ingrédients dans un bol ; mélangez bien. Refroidissez 1 heure avant de servir.

Donne de 4 à 6 portions

Pêche grillée avec sauce à la framboise

Salade de haricots BBQ à la bière

⅓ tasse de sauce barbecue piquante
¼ tasse de bière
3 cuillères à table de vinaigre de cidre
1 cuillère à table de mélasse
1 cuillère à thé de sauce piquante, ou au goût
½ cuillère à thé de graines de moutarde
1 boîte (15,5 oz) de haricots Pinto rincés et égouttés
4 tiges de céleri coupées en deux et tranchées
3 grosses tomates italiennes épépinées et hachées grossièrement
1 botte d'oignons verts parés et hachés
Sel et poivre

Mélangez, en fouettant, la sauce barbecue, la bière, le vinaigre, la mélasse, la sauce piquante et les graines de moutarde dans un grand bol. Ajoutez les haricots, le céleri, les tomates et les oignons verts ; mélangez pour enrober. Assaisonnez de sel, de poivre et de sauce piquante. (La salade se conservera dans un contenant fermé au réfrigérateur jusqu'à 2 jours. Laissez reposer à la température ambiante avant de servir.)

Donne de 4 à 6 portions

Ambrosia

1 boîte (20 oz) de morceaux d'ananas
1 boîte (11 ou 15 oz) de mandarines
1 grosse banane bien ferme tranchée (facultatif)
1½ tasse de raisins sans pépins
1 tasse de guimauves miniatures
1 tasse de noix de coco en flocons
½ tasse de pacanes ou de noix grossièrement coupées
1 tasse de yogourt à la vanille ou de crème sûre
1 cuillère à table de cassonade

• Égouttez les morceaux d'ananas et les mandarines. Dans un grand bol, combinez les morceaux d'ananas, les mandarines, la banane, les raisins, les guimauves, la noix de coco et les noix. Dans une tasse à mesurer, combinez le yogourt et la cassonade. Ajoutez, en remuant, au mélange de fruits. Couvrez et réfrigérez pendant au moins 1 heure ou jusqu'au lendemain.

Donne 4 portions

Salade de haricots BBQ à la bière bock

Lait fouetté à la mangue

1 grosse mangue
1¾ tasse de lait écrémé
2 cuillères à table de concentré surgelé de jus d'orange, de pêche et de mangue
4 glaçons
⅛ cuillère à thé d'extrait d'amande (facultatif)

1. Pelez la mangue. Coupez le fruit jusqu'au noyau et coupez-le ensuite en cubes.

2. Combinez tous les ingrédients au mélangeur jusqu'à l'obtention d'une consistance lisse. Servez immédiatement.

Donne 4 portions

Astuce: Refroidissez la mangue avant de préparer la recette ou utilisez des morceaux de mangue surgelés.

Salsa de maïs et de cerises grillée sur le feu

1 tasse de cerises acides séchées
½ tasse d'eau
3 épis de maïs frais égrenés
½ tasse de jus de citron ou de lime
½ tasse d'oignon rouge haché
¼ tasse de coriandre fraîche coupée
2 ou 3 piments chipotles entiers coupés finement
1 cuillère à table d'ail haché finement
Sel au goût

1. Faites chauffer les cerises et l'eau dans une petite casserole. Laissez mijoter pendant environ 5 minutes ou jusqu'à ce que les cerises aient gonflé et que l'eau soit légèrement sirupeuse. Laissez refroidir.

2. Pendant ce temps, faites griller chaque épi de maïs directement sur la flamme (un peu comme lorsque vous faites griller des poivrons). Tournez jusqu'à ce que chaque épi soit légèrement carbonisé. Laissez refroidir. Égrenez les épis.

3. Combinez les grains de maïs, les cerises avec le liquide, le jus de citron, l'oignon, la coriandre, les piments et l'ail. Assaisonnez de sel, au goût.

Donne 2 tasses ou 5 portions (½ tasse)

Note: Donne une salsa moyennement forte. Utilisez plus ou moins de piments pour créer une salsa plus piquante ou plus douce.

Suggestions: Servez avec du poulet, du poisson ou du porc grillé.

Lait fouetté à la mangue

La meilleure salade de chou

⅓ tasse d'huile végétale
⅓ tasse de relish à l'aneth
3 cuillères à table de jus de lime
2 cuillères à table de miel
1 cuillère à thé de sel
1 cuillère à thé de cumin moulu
1 cuillère à thé de flocons de piment broyés
1 cuillère à thé de poivre noir moulu
1 petit chou tranché très finement
2 grosse carottes râpées
1 botte d'oignons verts hachés
5 radis tranchés

Mélangez au fouet, l'huile, la relish, le jus de lime, le miel, le sel, le cumin, le piment rouge moulu et le poivre noir dans un grand bol. Ajoutez le chou, les carottes, les oignons verts et les radis. Mélangez pour bien combiner tous les ingrédients. Refroidissez pendant au moins 1 heure avant de servir. *Donne de 6 à 8 portions*

Astuce texane: Ajoutez des pommes râpées au lieu de la relish pour créer un goût plus sucré.

La meilleure salade de chou

Banane royale grillée

1 grosse banane mûre mais ferme
½ cuillère à thé de beurre fondu
2 cuillères à table de sirop au chocolat du commerce
½ cuillère à thé de liqueur d'orange (facultatif)
⅔ tasse de crème glacée à la vanille
2 cuillères à table de tranches d'amandes grillées

1. Préparez le barbecue pour une cuisson directe.
2. Coupez la banane non pelée sur le sens de la longueur et badigeonnez les surfaces coupées de beurre fondu. Faites griller la banane, surfaces coupées sur la grille, à feu moyen-élevé pendant 2 minutes ou jusqu'à ce qu'elle soit légèrement dorée. Tournez et faites griller pendant 2 minutes ou jusqu'à tendreté. Combinez le sirop de chocolat avec la liqueur, si désiré, dans un petit bol.
3. Coupez les moitiés de banane en deux et retirez délicatement la pelure. Déposez 2 morceaux de banane dans chaque bol. Ajoutez ensuite ⅓ de tasse de crème glacée, 1 cuillère à table de sirop au chocolat et 1 cuillère à table d'amandes. Servez immédiatement.

Donne 2 portions

Riz espagnol à l'avocat

1 cuillère à table de beurre ou de margarine
1 cuillère à table d'huile d'olive
1 petit oignon haché finement
1 gousse d'ail hachée finement
1 tasse de riz
¼ cuillère à thé de sel
¼ cuillère à thé d'origan séché
¼ cuillère à thé de cumin moulu
¼ cuillère à thé de curcuma moulu
2 tasses de bouillon de poulet
1 petit avocat

Chauffez le beurre et l'huile dans une casserole sur un feu moyen. Une fois le beurre fondu, ajoutez l'oignon et l'ail; faites cuire jusqu'à tendreté. Ajoutez le riz. Cuisez en mélangeant sans arrêt pendant 3 minutes ou jusqu'à ce que le riz semble laiteux et opaque. Ajoutez le sel, l'origan, le cumin, le curcuma et le bouillon de poulet; amenez à ébullition. Couvrez le tout. Réduisez le feu et laissez mijoter de 20 à 25 minutes ou jusqu'à ce que le riz soit tendre et que tout le liquide soit absorbé. Pelez et dénoyautez l'avocat, puis coupez-le en dés. Détachez le riz à la fourchette; ajoutez l'avocat et mélangez délicatement. Fermez le feu et laissez reposer pendant 5 minutes avant de servir.

Donne de 4 à 6 portions

Banane royale grillée

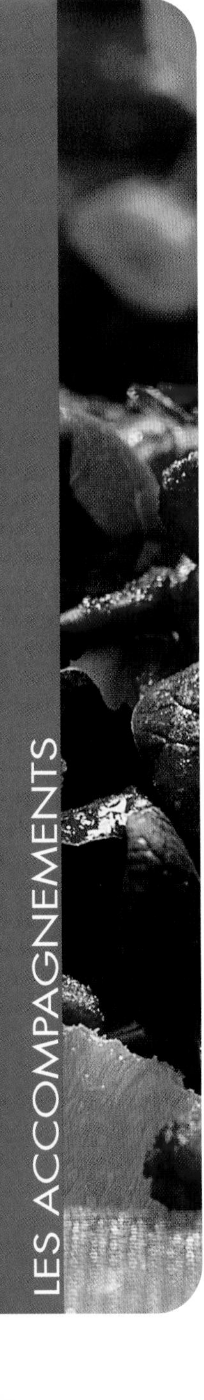

Biscuits au basilic

2 tasses de farine tout usage
4 cuillères à table de parmesan rapé
1 cuillère à table de poudre à pâte
½ cuillère à thé de bicarbonate de sodium
¼ cuillère à thé de sel (facultatif)
4 cuillères à table de fromage Neufchâtel (ou autre fromage à pâte molle à croûte fleurie)
2 cuillères à table de beurre
6 onces de yogourt nature sans gras
⅓ tasse de basilic frais haché

1. Combinez la farine, 2 cuillères à table de parmesan, la poudre à pâte, le bicarbonate de sodium et le sel, si désiré, dans un grand bol. Coupez le Neufchâtel et 1 cuillère à table de beurre, à l'aide d'un mélangeur à pâtisserie ou de deux couteaux, jusqu'à ce que le mélange soit constitué de gros morceaux. Ajoutez, en mélangeant, le yogourt et le basilic; mélangez jusqu'à ce que la pâte colle. Retournez la pâte sur une surface légèrement enfarinée et tamponnez-la délicatement pour en faire une boule. Pétrissez jusqu'à ce qu'elle se tienne. Tapotez et roulez la pâte en un billot de 7 po de longueur. Coupez en 7 tranches de 1 po d'épaisseur.

2. Vaporisez une poêle à frire ou un faitout en fonte de 10 po d'aérosol de cuisson antiadhésif. Répartissez les biscuits dans la poêle. Faites fondre l'autre cuillère à table de beurre et badigeonnez la surface des biscuits. Saupoudrez les 2 autres cuillères à table de parmesan. Déposez la poêle sur la grille à 4 à 6 po au-dessus d'un feu moyen-élevé (environ 375 °F); fermez le barbecue. Faites cuire de 20 à 40 minutes ou jusqu'à ce qu'ils soient dorés et fermes en surface.

Donne 7 biscuits

Note: Pour préparer un barbecue au charbon pour ce type de cuisson, répartissez des charbons de taille moyenne en une seule couche uniforme sous la grille. Au besoin, réduisez la température en laissant les charbons refroidir ou en retirant 3 ou 4 charbons à la fois pour les déposer dans un contenant à l'épreuve du feu jusqu'à ce que la température désirée soit atteinte. Dans le cas d'un barbecue au gaz, commencez avec un feu moyen et ajustez la chaleur au besoin. Au lieu d'augmenter ou d'abaisser le réglage de température, vous pouvez éteindre un côté ou régler les deux côtés à des températures différentes.

Biscuits au basilic

Thé glacé à l'orange

2 oranges
4 tasses d'eau bouillante
5 sachets de thé
Glaçons
Miel ou cassonade au goût

À l'aide d'un économe, pelez chaque orange en une spirale continue et retirez uniquement la couche extérieure colorée de la peau (mangez le fruit pelé ou conservez-le à d'autres fins). Dans un grand pichet, versez l'eau bouillante sur les sachets de thé et le zeste d'orange. Couvrez et laissez macérer pendant 5 minutes. Retirez les sachets de thé et faites refroidir le mélange dans un contenant couvert. Pour servir, retirez le zeste et versez sur des glaçons dans de grands verres. Sucrez au goût. Décorez de tranches d'orange incisées et de feuilles de menthe, si désiré.

Donne 4 portions (8 oz)

Tisane glacée au citron

2 citrons
4 tasses d'eau bouillante
6 sachets de tisane (mélange de menthe poivrée ou de menthe verte, ou encore à saveur de gingembre)
Glaçons
Miel ou sucre au goût

À l'aide d'un économe, pelez chaque citron en une spirale continue et retirez uniquement la couche extérieure colorée de la peau (conservez le fruit pelé à d'autres fins). Dans un grand pichet, versez l'eau bouillante sur les sachets de tisane et le zeste de citron. Couvrez et laissez macérer pendant 10 minutes. Retirez les sachets de tisane et faites refroidir le mélange dans un contenant couvert. Pour servir, retirez le zeste et versez sur des glaçons dans de grands verres. Sucrez au goût. Décorez avec des tranches de citron incisées, si désiré.

Donne 4 portions (8 oz)

Thé glacé à l'orange et tisane glacée au citron

Légumes marinés sucrés et piquants

8 tasses de légumes frais mélangés coupés en morceaux de 1 à 1½ po (par exemple du brocoli, du chou-fleur, des courgettes, des carottes et des poivrons rouges)
⅓ tasse de vinaigre blanc distillé
¼ tasse de sucre
¼ tasse d'eau
1 sachet (1 oz) de mélange d'assaisonnements et de vinaigrette ranch du commerce

Déposez les légumes dans un grand sac de plastique refermable. Fouettez ensemble le vinaigre, le sucre, l'eau et le mélange ranch jusqu'à ce que le sucre soit dissout. Versez sur les légumes. Fermez le sac hermétiquement; remuez pour bien enduire. Réfrigérez pendant un minimum de 4 heures ou toute la nuit, en retournant le sac de temps en temps.

Donne 8 portions

Note: Les légumes se conserveront jusqu'à 3 jours au réfrigérateur.

Chutney de fruits frais miel et Dijon

1 tasse de fruits grossièrement coupés (par exemple mangues, pêches, ananas et kiwis)
½ tasse de purée de pommes non sucrée
½ tasse de céleri coupé en petits morceaux
5 cuillères à table de miel
¼ tasse d'oignon rouge haché finement
3 cuillères à table de moutarde de Dijon
2 cuillères à table de coriandre ou de menthe fraîche hachée
1 cuillère à table de jus de lime ou de citron
2 cuillères à thé de gingembre frais râpé
Flocons de piment broyés au goût
Sel au goût

Combinez tous les ingrédients dans un bol moyen; mélangez bien. Réfrigérez jusqu'au moment de servir. Servez avec de la dinde ou du filet de porc. Peut aussi servir de relish pour les sandwichs.

Donne environ 2 tasses

Légumes marinés sucrés et piquants

Bateaux ananas avec crème aux agrumes

1 gros ananas frais
1 banane pelée et tranchée
1 orange pelée et tranchée
1 pomme évidée et tranchée
1 poire évidée et tranchée
1 tasse de raisins sans pépins (rouges et verts)

Crème aux agrumes
1 tasse de yogourt nature sans gras
2 cuillères à table de cassonade
1 cuillère à table de gingembre cristallisé haché (facultatif)
1 cuillère à thé de zeste d'orange râpé
1 cuillère à thé de zeste de lime râpé

• Coupez l'ananas en deux, en longueur, au travers des feuilles. Retirez le fruit de son écorce en gardant celle-ci intacte. Enlevez le cœur et coupez le fruit en morceaux.

• Combinez les morceaux d'ananas avec le reste des fruits. Déposez-les dans les bateaux ananas.

• Combinez tous les ingrédients de la crème aux agrumes. Servez avec les bateaux ananas.

Donne 8 portions

Temps de préparation: 20 minutes

Il n'y a rien à faire... peu importe comment on place le barbecue, la fumée souffle toujours vers soi...

Bateau ananas avec crème aux agrumes

Salade de pommes de terre nouvelles fumées

2 tasses de copeaux de bois
Vinaigrette à l'aneth (recette ci-dessous)
2 livres de pommes de terre nouvelles
1 poivron jaune ou rouge moyen, coupé en deux
1 cuillère à table d'huile d'olive
2 cuillères à table (1 oz) de feta en morceaux

1. Recouvrez d'eau les copeaux de bois et laissez-les tremper pendant au moins 30 minutes. (Si vous utilisez des brochettes en bambou, faites-les tremper dans l'eau pendant 20 à 30 minutes pour les empêcher de brûler.) Préparez la vinaigrette à l'aneth ; réservez.

2. Déposez les pommes de terre dans une grande casserole et recouvrez-les d'eau ; amenez à ébullition à feu élevé. Réduisez la chaleur et laissez mijoter de 8 à 10 minutes ou jusqu'à ce qu'elles soient tendres mais encore croquantes. Égouttez et laissez refroidir. (Les pommes de terre peuvent être préparées à l'avance et réfrigérées pendant un maximum d'une journée.)

3. Faites griller les moitiés de poivrons, côté peau sur la grille, à feu moyen couvert pendant 15 à 25 minutes ou jusqu'à ce que la peau soit carbonisée, sans les retourner. Retirez-les de la grille et déposez-les dans un sac de plastique environ 10 minutes. Retirez la peau à l'aide d'un couteau d'office et jetez-la. Coupez les poivrons ; réservez.

4. Coupez les pommes de terre en deux et déposez-les dans un bol moyen. Ajoutez l'huile ; mélangez pour bien enduire les pommes de terre. Vaporisez le panier à légumes d'aérosol de cuisson antiadhésif. Placez les pommes de terre dans le panier en les répartissant en une seule couche. (Vous pouvez aussi enfilez les pommes de terre sur 5 ou 6 brochettes.) Égouttez les copeaux de bois et répartissez-les sur les charbons chauds. Faites griller les pommes de terre à couvert sur un feu moyen-élevé pendant 12 à 16 minutes (6 à 10 minutes si vous utilisez des brochettes) ou jusqu'à ce qu'elles soient dorées, en les retournant une fois. Transférez-les dans un bol de service, ajoutez le poivron rouge et mélangez délicatement en ajoutant la vinaigrette. Saupoudrez de fromage ; mélangez délicatement. Décorez au goût. *Donne 6 portions*

Vinaigrette à l'aneth

¼ tasse d'oignons verts hachés finement
2 cuillères à table d'aneth frais haché
2 cuillères à table de vinaigre de riz ou de vinaigre de cidre
1 cuillère à table de moutarde de Dijon
1 cuillère à table d'huile d'olive

Combinez, en fouettant, tous les ingrédients dans un petit bol.

Salade de pommes de terre nouvelles fumées

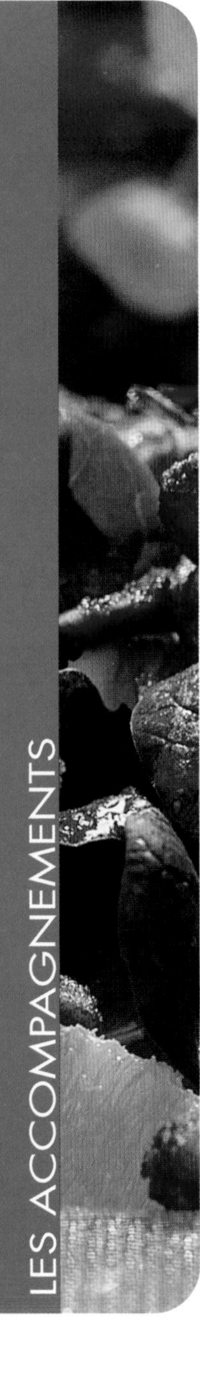

Fruits au brandy

2 grosses mangues, papayes ou pêches mûres
2 ou 3 grosses prunes mûres coupées en deux et dénoyautées
24 cerises de France coupées en deux et dénoyautées
6 cuillères à table de sucre
¼ tasse de brandy
2 cuillères à table de gingembre cristallisé haché
1 cuillère à table de jus de citron
2 cuillères à thé de fécule de maïs
1 cuillère à table de liqueur à l'orange ou de Kirsh (facultatif)
Gâteau des anges (facultatif)

1. Vaporisez un plat de cuisson de 9 po ou une assiette à tarte d'aérosol de cuisson antiadhésif; réservez. Pelez les mangues, retirez la chair jusqu'au noyau et coupez en tranches de ½ po. Déposez dans le plat de cuisson préparé. Coupez chaque moitié de prune en quatre quartiers; ajoutez dans le plat. Ajoutez les cerises en remuant.

2. Combinez le sucre, le brandy, le gingembre, le jus de citron et la fécule de maïs dans un petit bol. Mélangez jusqu'à ce que la fécule soit dissoute et versez sur les fruits. Recouvrez de papier d'aluminium.

3. Déposez le plat sur la grille. Faites cuire à feu faible à moyen, à couvert, pendant 20 à 30 minutes ou jusqu'à ce que le jus mijote et que les fruits soient tendres. Ajoutez la liqueur en remuant, si désiré. Déposez à la cuillère sur le gâteau des anges ou servez dans de petits bols.

Donne 6 portions

Astuce: Les fruits fermes gardent mieux leur consistance sur le gril. Vous pouvez ajouter des petits fruits à la recette après avoir retiré les fruits grillés du barbecue. Vous n'avez qu'à couvrir le plat pendant quelques minutes pour qu'ils se réchauffent avec les fruits grillés.

Fruits au brandy

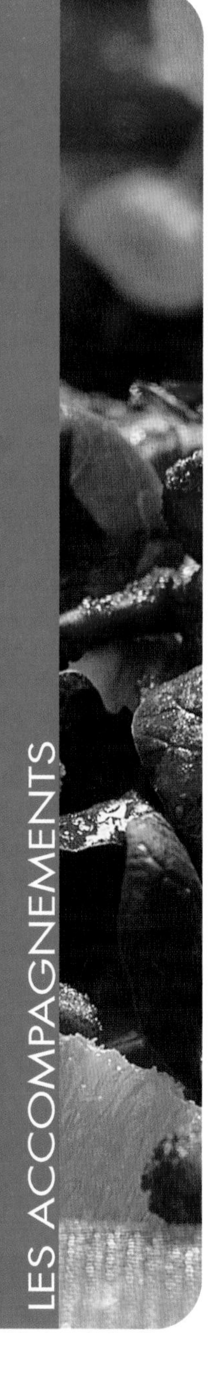

Salsa au poivron rouge et à la papaye

1 gros poivron rouge coupé en deux
1 grosse papaye mûre pelée, épépinée et coupée en petits dés
2 oignons verts hachés finement
3 cuillères à table de coriandre fraîche hachée
2 à 3 cuillères à table de jus de lime
1 piment jalapeño* finement haché

**Les piments jalapeños peuvent brûler et irriter la peau ; portez des gants en caoutchouc lorsque vous manipulez les piments et ne vous touchez pas les yeux. Lavez vos mains après la manipulation.*

1. Faites griller les moitiés de poivrons, côté peau sur la grille, à feu moyen-élevé couvert pendant 15 à 25 minutes ou jusqu'à ce que la peau soit carbonisée, sans les retourner. Retirez-les de la grille et déposez-les dans un sac de plastique environ 10 minutes.

2. Déposez la papaye dans un bol de format moyen. Ajoutez, en mélangeant, les oignons, la coriandre, 2 cuillères à table de jus de lime et le piment jalapeño. Retirez la peau du poivron rouge à l'aide d'un couteau d'office et jetez-la. Coupez le poivron et ajoutez au mélange à la papaye. Ajoutez l'autre cuillère à table de jus de lime, si désiré. Servez la salsa refroidie ou à la température ambiante sur du poulet grillé.

Donne 6 portions

Variation : Cette salsa intrigante peut être variée en utilisant une mangue ou des nectarines bien mûres au lieu de la papaye. Le basilic et la menthe infuseront cette salsa pour lui donner une saveur encore plus tropicale. Elle est aussi excellente avec le poisson ou le poulet grillé, les palourdes, les huîtres ou les fajitas.

Un feu moyen utilise 3 à 4 livres de charbon.

Salsa au poivron rouge et à la papaye

Salsa aux fraises et aux bleuets

¾ tasse de fraises coupées en morceaux
⅓ tasse de bleuets
2 cuillères à table de poivron vert haché
2 cuillères à table de carotte hachée finement
1 cuillère à table d'oignon haché
2 cuillères à thé de vinaigre de cidre
1 cuillère à thé de piment jalapeño haché*
⅛ cuillère à thé de gingembre moulu

**Les piments jalapeños peuvent brûler et irriter la peau ; portez des gants en caoutchouc lorsque vous manipulez les piments et ne vous touchez pas les yeux. Lavez vos mains après la manipulation.*

Combinez tous les ingrédients dans un petit bol. Laissez-les reposer pendant 20 minutes pour laisser les saveurs se marier. Servez avec du poulet, du poisson ou du porc grillé. *Donne 4 portions*

Salsa à l'ananas Santa Fe

2 tasses d'ananas frais en petits morceaux
1 boîte (8 oz) de haricots rouges égouttés et rincés
1 boîte (8,25 oz) de grains de maïs égouttés
1 tasse de poivron rouge ou vert haché
½ tasse d'oignon rouge haché finement
2 cuillères à table de coriandre hachée fraîche
1 à 2 cuillères à thé de piment jalapeño frais épépiné et haché
½ cuillère à thé de zeste de lime râpé
2 cuillères à table de jus de lime

• Combinez tous les ingrédients dans un bol de service de format moyen. Couvrez et laissez reposer pendant au moins 30 minutes pour laisser les saveurs se marier. Servez avec du saumon grillé et des asperges. Décorez de quartiers d'ananas grillés, si désiré.

• La salsa peut aussi être servie comme trempette avec des nachos ou être versée sur des quesadillas ou des tacos. *Donne 10 portions*

Temps de préparation : 20 minutes
Temps de réfrigération : 30 minutes

Salsa aux fraises et aux bleuets

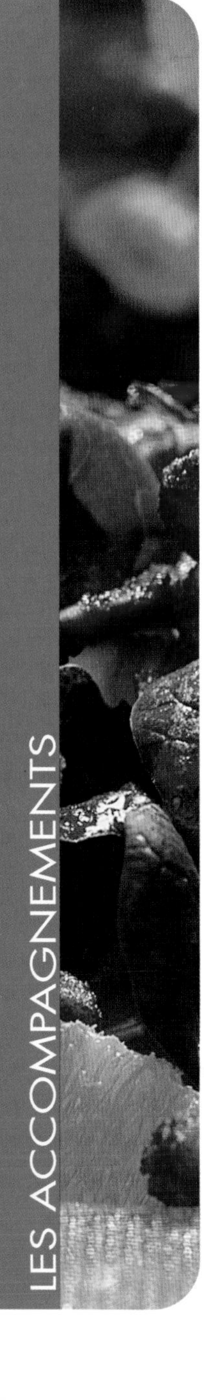

Ananas grillé calypso

½ tasse de sauce Worcestershire
½ tasse de miel
½ tasse (1 bâtonnet) de beurre ou de margarine
½ tasse de cassonade pâle bien tassée
½ tasse de rhum brun
1 ananas coupé en 8 quartiers, sans le cœur*
Crème glacée à la vanille

**Vous pouvez remplacer l'ananas par d'autres fruits, par exemple des moitiés de pêches ou de nectarines, ou d'épaisses tranches de mangues.*

Pour préparer la sauce, combinez la sauce Worcestershire, le miel, le beurre, le sucre et le rhum dans une casserole. Amenez à ébullition à feu moyen-élevé en remuant souvent. Réduisez le feu à une intensité moyenne à basse. Laissez mijoter pendant 12 minutes ou jusqu'à ce que la sauce épaississe légèrement, en remuant souvent. Retirez du feu et laissez complètement refroidir.

Badigeonnez de sauce les quartiers d'ananas. Déposez-les sur la grille huilée. Faites griller sur des charbons chauds pendant 5 minutes ou jusqu'à ce que les morceaux d'ananas soient glacés, en tournant et en badigeonnant souvent de sauce. Servez l'ananas avec de la crème glacée et le reste de sauce. Décorez au goût. Réfrigérez tout reste de sauce**. *Donne 8 portions (1½ tasse de sauce)*

***Les restes de sauce peuvent être réchauffés au micro-ondes. Faites chauffer au micro-ondes et mélangez toutes les 30 secondes.*

Temps de préparation: 15 minutes
Temps de cuisson: 15 minutes

Ananas grillé calypso

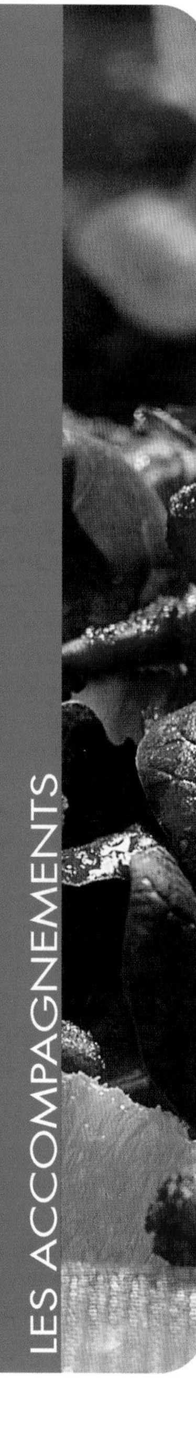

Salsa de maïs et de haricots

⅓ tasse d'huile d'olive
3 cuillères à table de sauce piquante au piment de Cayenne
3 cuillères à table de vinaigre de vin rouge
2 cuillères à table de coriandre fraîche hachée finement
1 gousse d'ail hachée finement
½ cuillère à thé de poudre de chili
¼ cuillère à thé de sel
1 paquet (9 oz) de maïs surgelé, décongelé et égoutté
1 boîte (16 oz) de haricots noirs égouttés et rincés
1 grosse tomate mûre coupée en morceaux
2 oignons verts hachés finement

Mélangez au fouet l'huile, la sauce piquante, le vinaigre, la coriandre, l'ail, la poudre de chili et le sel dans un grand bol. Ajoutez le maïs, les haricots, la tomate et l'oignon ; remuez pour les enrober uniformément. Couvrez et réfrigérez pendant au moins 30 minutes avant de servir. Servez avec des biftecks grillés ou des hamburgers.

Donne 6 portions (environ 4 tasses de salsa)

Relish de maïs à l'ancienne

⅓ tasse de vinaigre de cidre
2 cuillères à table de sucre
1 cuillère à table de fécule de maïs
3 cuillères à table de moutarde préparée
¼ cuillère à thé de sel aromatisé
1 paquet (9 oz) de maïs surgelé, décongelé et égoutté
½ tasse de céleri coupé en petits morceaux
½ tasse de poivron rouge haché
¼ tasse d'oignon rouge haché finement
3 cuillères à table de relish sucrée

Combinez le vinaigre, le sucre et la fécule de maïs dans un grand bol allant au micro-ondes ; mélangez bien.

Ajoutez la moutarde et le sel en mélangeant. Faites chauffer à découvert au micro-ondes à puissance élevée pendant 1 à 2 minutes ou jusqu'à ce que le mélange épaississe, en remuant une fois. Ajoutez le maïs, le céleri, le poivron, l'oignon et la relish ; mélangez bien.

Couvrez et réfrigérez pendant au moins 30 minutes avant de servir. Servez comme relish dans des hamburgers ou dans des hot-dogs, ou encore avec des viandes grillées.

Donne environ 3 tasses

De haut en bas: Salsa de maïs et de haricots, relish de maïs à l'ancienne

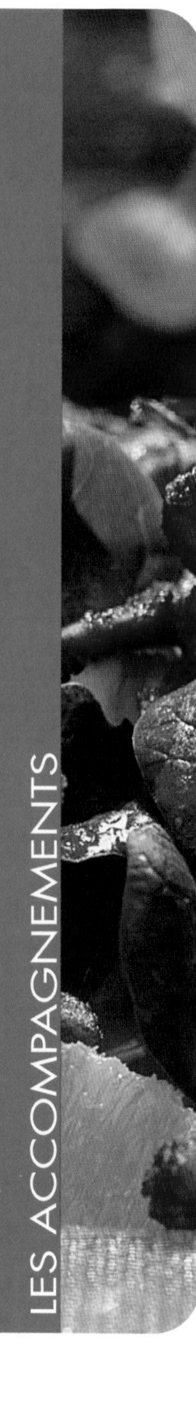

Salade de pommes de terre du tonnerre

1½ livre de petites pommes de terre rouge coupées en quartiers
⅓ tasse d'huile d'olive
¼ tasse de moutarde forte ou de moutarde jaune préparée
3 cuillères à table de jus de citron
¼ cuillère à thé de poivre noir moulu
1 tasse de céleri coupé en diagonale
1 poivron (vert, rouge ou jaune) coupé en languettes
2 oignons verts hachés finement
¼ tasse de persil frais haché finement

1. Faites cuire les pommes de terre (dans suffisamment d'eau salée pour les recouvrir) pendant 15 minutes ou jusqu'à ce qu'elles soient légèrement tendres. Rincez-les à l'eau froide et égouttez.

2. Combinez l'huile, la moutarde, le jus de citron et le poivre noir dans un grand bol. Ajoutez les pommes de terre, le céleri, le poivron, l'oignon et le persil ; remuez bien pour les enrober uniformément. Couvrez et réfrigérez pendant au moins 1 heure avant de servir.

Donne 8 portions

Salade de macaroni préférée

8 onces de pâtes en forme de coquilles moyennes
⅓ tasse de crème sure à teneur réduite en matières grasses
⅓ tasse de mayonnaise faible en gras
⅓ tasse de moutarde forte
1 cuillère à table de vinaigre de cidre
3 tasses de légumes frais coupés en bouchées (par exemple des tomates, des poivrons, des carottes et du céleri)
¼ tasse d'oignons verts hachés finement

1. Faites cuire les pâtes selon les instructions de l'emballage en choisissant le temps de cuisson le plus court. Rincez à l'eau froide et égouttez.

2. Combinez la crème sure, la mayonnaise, la moutarde et le vinaigre dans un grand bol. Ajoutez-y les pâtes, les légumes et les oignons verts. Mélangez délicatement pour bien enrober. Assaisonnez avec du sel et du poivre. Couvrez et refroidissez au réfrigérateur pendant 30 minutes. Mélangez avant de servir.

Donne 6 portions (1 tasse)

De haut en bas : Salade de pommes de terre du tonnerre et salade de macaroni préférée

Tableau de conversion métrique

MESURES DE VOLUME (sec)

1/8 cuillère à thé = 0,5 ml
1/4 cuillère à thé = 1 ml
1/2 cuillère à thé = 2 ml
1 cuillère à thé = 5 ml
1 cuillère à table = 15 ml
2 cuillères à table = 30 ml
1/4 tasse = 60 ml
1/3 tasse = 75 ml
1/2 tasse = 125 ml
2/3 tasse = 150 ml
3/4 tasse = 175 ml
1 tasse = 250 ml
2 tasses = 1 chopine = 500 ml
3 tasses = 750 ml
4 tasses = 1 pinte = 1 l

MESURES DE VOLUME (liquide)

1 once liquide (2 cuillères à table) = 30 ml
4 onces liquides (1/2 tasse) = 125 ml
8 onces liquides (1 tasse) = 250 ml
12 onces liquides (1,5 tasse) = 375 ml
16 onces liquides (2 tasses) = 500 ml

POIDS (masse)

1/2 once = 15 g
1 once = 30 g
3 onces = 90 g
4 onces = 120 g
8 onces = 225 g
10 onces = 285 g
12 onces = 360 g
16 onces = 1 livre = 450 g

DIMENSIONS

1/16 po = 2 mm
1/8 po = 3 mm
1/4 po = 6 mm
1/2 po = 1,5 cm
3/4 po = 2 cm
1 po = 2,5 cm

TEMPÉRATURES DU FOUR

250°F = 120°C
275°F = 140°C
300°F = 150°C
325°F = 160°C
350°F = 180°C
375°F = 190°C
400°F = 200°C
425°F = 220°C
450°F = 230°C

Index